C0-AVZ-605

On Borrowed Time?

Assessing the Threat of Mineral Depletion

持続可能な時代を求めて

資源枯渇の脅威を考える

John E. Tilton 著

西山 孝・安達 毅・前田正史 共訳

Original English-language version titled
On Borrowed Time: Assessing the Threat of Mineral Depletion
[ISBN 1-891853-58-9 (cloth) and ISBN 1-891853-57-0 (paper)],
by John E. Tilton.

まえがき

1970年代のはじめから、私は、次の数世紀にわたる長期間の非再生鉱物資源の利用可能性について強い関心を抱いてきた。この関心は、おそらく人類の福祉にとって鉱物資源の重要性を反映したものである。石油、天然ガス、石炭、鉄鋼、アルミニウム、亜鉛、リン灰石などの鉱産物の適切な供給なくして、われわれが享受しているような近代文明を想像することは難しい。多くの人々は、資源の利用可能性は、核戦争、人口増加、環境保護とともに人類が直面している大きな課題になっていると考えている。もちろん、人類を含んだ世界の未来を形づくるこれらの重要な課題は、それぞれ独立した問題ではない。

さらに、私はこの課題に魅力を感ずることがある。それは、鉱物資源の枯渇について関心の強い悲観論者と呼ばれる人たちと、楽観主義者と呼ばれる無関心な人たちの間の論争が、30年前と同じように、今日も活発に議論されているからである。知的で情報に精通した人々が、数十年の議論と研究を重ねても、依然として、この重要な課題に関して分裂したままでいることに、私は驚きをもって見ている。

私は、The Future of Nonfuel Minerals（1975年刊 Brookings Institution）という短編からはじめ、これまでに自分自身の手法で、この議論に貢献しようと試みてきた。それ以来、この分野で展開されている出版物に、私が加えて書いてきた著作は「参考文献」に記されている。本書はこれら初期の成果に大きく依存しており、この意味では、全くオリジナルな内容とはなっていない。いずれにしても、本著が目標としているのは、オリジナルな研究ではないのではあるが。

むしろ、私は資源経済学者や関連分野の専門家でない人々のために、鉱物資源の長期の利用可能性について簡潔な入門書を書こうとしている。その目標は、枯渇の驚異の深刻さと適切な政策による対策に関して、読者が独自の結論に到達するのに必要な概念とともに、重要な問題の全体像を提示することにある。もちろん、私は私自身の意見を持ち合わせており、それは必然的に文章中に入ってくるのは避けられない。しかし、異論の多い問題を解説するときには、努めて客観的になるようにした。私自身の専門と経験を反映している視点は、おもに経済学者のものである。

この研究の前身は、“The Mining, Minerals, and Sustainable Development Project” と“Resources for the Future（Washington D.C. April 23, 2001）” で召集された“Workshop on the Long-Run Availability of Mineral Commodities” で、レポートとして提出したものである。本文では、ワークショップに参加された29名の関係者からいただいた多数のコメントとご指摘を参考にしている。

とくに、Robin G. Adams、William M. Brown、Robert D. Cairns、David Chambers、Carol A. Dahl、Joel Darmstadter、Graham A. Davis、John H. DeYoung, Jr.、Peter Howie、David Humphreys、Toni Marechaux、Carmine Nappi、Raul O'Ryan、Marian Radetzki、Don Reisman、Brian J. Skinner、John Taylo、Michael A. Toman には、彼らの有用なコメントと提案をいただいたことに感謝する。また Thitisak Boonpramote には研究の補助を、Margaret Tilton には編集上の提案をしていただいた。

最後に、“The Mining, Minerals, and Sustainable Development Project” には制約のない助成金をいただき感謝の意を表したい。また、“The Viola Vestal Coulter Foundation”、“The Kempe Foundation”、“Resources for the Future” には支援と奨励をいただいたことにも感謝する。もちろん一般的なことであるが、ここで述べる意見は私自身のものであり、上記の機関の意見とは必ずしも一致しないかもしれない。

John E. Tilton
コロラド州ゴールデン

Preface for the Japanese Edition

During the fall of 2002, Professor Takashi Nishiyama invited me to spend three months as a Visiting Professor working with him and his students at the Graduate School of Energy Sciences at Kyoto University. During this period, he and I, along with Professor Toshihide Ito, a former graduate student of Professor Nishiyama and a friend of mine from the days he spent at the Colorado School of Mines as a Visiting Scholar, had many interesting discussions over the long-run availability of mineral commodities and my forthcoming book on this topic, *On Borrowed Time?* After my visit to Japan, Professor Nishiyama spent several months at the Colorado School of Mines, where I am now a Research Professor, and several months at the Pontificia Universidad Católica de Chile, where I currently hold the Chair in Mineral Economics. These visits have allowed us to continue our collaboration and discussions, and in the process to understand better each other's perspective on this topic.

As a result, I was delighted when Professor Nishiyama told me he would like to translate *On Borrowed Time?* into Japanese. Concern over the long-run availability of mineral commodities never seems to go away, particularly in the United States, Japan, and other developed countries that depend heavily on mineral imports to sustain their modern societies. In the 1980s and 1990s, the concern shifted from the physical availability of minerals to the environmental and other social costs associated with their production and use. Now in the 21st century, the concern may be shifting again with the rapid economic growth of China, India, and other developing countries. China today is the world's largest consumer of copper, and the largest or one of the largest of almost all other mineral commodities. Moreover, its mineral consumption is growing rapidly.

For those who worry about the rising global consumption of nonrenewable resources, and the implications for human welfare and the planet more generally, this book provides a conceptual framework for assessing such concerns. It also offers what I like to think is a guardedly positive outlook.

While the future is for better or worse uncertain — and that applies as much to the future availability of the mineral resources upon which modern civilization depends as to other areas — the pages that follow suggest that the human race can to a considerable extent shape the future with respect to the availability of mineral commodities.

For these and other reasons, I like to think this book makes a contribution to our understanding of this important topic, and am grateful to Professor Nishiyama for making it available to those who would prefer to read it in Japanese.

John E. Tilton
Santiago, Chile
December 5, 2005

日本語版刊行にあたって

2002年の秋、私は京都大学大学院エネルギー科学研究科の客員教授として招かれ、この招聘を実現してくれた西山孝教授ならびにエネルギー科学研究科の学生とともに3ヶ月を過ごした。この期間に、私は、同教授およびかつてコロラド鉱山大学で客員研究員として過ごしたことのある私の友人で、西山教授とも同窓の伊藤俊秀教授（関西大学）と、鉱物資源の長期の利用可能性ならびに出版間近となっていた“On Borrowed Time?”について興味深い議論を重ねることができた。日本滞在後に、私が現在研究教授をしているコロラド鉱山大学で西山教授は数ヶ月を過ごし、また、学科長を兼任しているチリのポンティフィシアカトリカ大学の資源経済学科でも客員教授として数ヶ月間研究をともにした。これらの訪問が、共同研究を押し進めることとなり、本著の課題についてお互いにより深い理解を得るのに役立った。

このような経緯から、西山教授から“On Borrowed Time?”を日本語に翻訳したいという希望が伝えられたとき、私はたいへんうれしく思った。現代社会をささえる鉱物資源の多くを輸入に依存している、とくにアメリカ合衆国、日本などの先進国にとって、鉱物資源の長期にわたる利用可能性に対する不安は、いつまでも消え去ることのない課題となっている。この心配は、1980年代から1990年代にかけて、物理的な利用可能性から、生産と使用によって引き起こされる環境などの社会的費用へと移り変わってきた。21世紀になり、この懸念は、中国、インドなどの発展途上国の経済成長によって、さらに様変わりしようとしている。今日の中国は、銅の世界最大の消費国であり、その他のほとんどの鉱物資源においても最大の消費国になっている。とくに、その消費量の増加速度は急激である。

非再生資源の世界消費量の増大と人類の福祉、さらには地球全般のゆくえについて懸念する関連性に思いをはせる人々にとって、本著は、これらの問題を考えるための概念的な枠組みを提供するものである。また、本書では、注意深くかつ現実的な展望を提供したいと思う。未来は良い方向へ向かっているのか悪い方向に向かっているのかは定かではないが、　— 近代文明を支える鉱物資源の将来の利用可能性についても同じである、—　続くページでは鉱物資源の利用可能性についての人類がある程度未来を形づくることができるよう言及した。

これらのことから、本書がこの重要なトピックについて、われわれの理解の一助になって欲しいと考えるとともに、西山教授らには日本語になじみのある読者に読んでもらえるようにしていただいたことに感謝する。

2005年12月5日

John E. Tilton

サンチャゴ、チリ

訳者まえがき

この本はJohn E.Tilton 著“On Borrowed Time?”の全訳である。この本は、現代の技術文明の礎となっている資源・エネルギーについて、豊富な資料に基づき、広い視野からバランスよく書かれたユニークな入門書である。

20 世紀の後半の技術文明の発展には目を見張るものがある。巨大な量の情報が処理され、飛行機で容易に旅行し、宇宙旅行をテレビで楽しむような社会になった。この技術革新は産業革命以後続いてきたものであるが、1950 年をこえてからこの成長速度は急激に加速され、この動きに対応して、技術文明の根幹を支える資源エネルギーの供給は、量の面でも、質の面でも、さらに種類の面でも多様化し、急激な増加をうながした。このような背景をもとに、地質学者を中心に、資源の枯渇がいよいよ差し迫った、のっぴきならないところにまできていることが警告されている。

ところが、これまで厳しい警告がしばしば出されてきたにもかかわらず、幸いにも、いずれの資源種においても、資源の枯渇は現実のものとはならなかった。枯渇をとりまく事項は、多くの不安をかかえながらもひとつひとつ難関を乗り越え、現在に至っている。このような状況はこれからも続くと期待されるので、資源供給には大きな不安は不必要である、という主張が経済学者を中心にある。

この二つの大きな隔たりを持った議論は、永い間続いており、いっこうに狭まってこない。一刻も早く解決を図らないと、学問だけでなく、社会的にもとり返しのつかないことになりかねない。このことが、Tilton 先生は本書を書く動機となったと記している。

近年、資源産業界では、グローバル化が急テンポで進んだ。金属、エネルギーの需給、価格の変動は国際市場で決められ、一国で孤立して考えられる状況は例外的なこととなった。このことはわが国のように、多量の資源を消費しながら、ほとんど生産のない国にとって深刻な問題で、つねに世界の動きを追跡し、長期あるいは短期の予測と対応は避けられない作業となっている。このような研究は一般に資源経済学とよばれ、わが国では若い学問である。必要性が認識されながらも、大学でこの分野を専攻とする講座はまだ一つもないのが現状である。

Tilton 教授は（現在名誉教授）、永くコロラド鉱山大学資源経済学部で学部長として教鞭をとり、世界の資源経済学リードしてきたこの分野の世界第一人者である。教授はよく“私は最も地質学者に近い経済学者であり、限界はあるが工学にも精通している”ことを強調されている。

私たち訳者は、いずれも理系の研究者で経済学の専門ではないが、本書をとおして理学、工学から枯渇の問題を見直し、理学のほうから少しでも経済学に近づき、この間の開きを少しでも埋めようと願いつつ翻訳した。

なお、Tilton 先生の日本招聘に関してご尽力を賜り、この本の出版の契機をつくっていただいた、関西大学伊藤俊秀教授に感謝の意を表します。

2006年1月

訳者らしるす

目　次

第1章
これからの資源供給

再生不可能な鉱物資源の採掘と消費の歴史を振り返ると、青銅器時代、さらには石器時代にまでさかのぼることができる。すなわち、鉱物資源は、数千年にもわたって、人々の生活を、より快適で、より豊かで、より安全なものにすることに貢献してきている。

ところが、この採掘と消費にこれまでに見られなかった劇的な現象が起こりつつある。それは、開発のペースの加速である。人類は、過去100年のわずかな間に、それまで何世紀もかかって消費した量をはるかに超えるアルミニウム、銅、鉄あるいは鋼、リン灰石、ダイヤモンド、硫黄、石炭、石油、天然ガス、そして砂や砂利を使用してきた。さらに、このペースは持続し続け、今日の世界は、ほとんどの鉱物資源が毎年、記録的な速度で増産され、消費されている(Box 1-1.を参照)。

この爆発的に伸びる消費を牽引している原因には、少なくとも四つの基礎的な事項があげられる。第一に、技術の進歩によって、銅や石炭など、多くの鉱産物を安い費用で採掘できるようになったことで、技術の進歩によって安くなった価格が、消費の上昇を喚起している。第二に、技術進歩はより良質な素材を新たに開発し、新しいニーズを創り出した。たとえば、ブリキ板（錫を薄く層状にコーティングした鋼板）は、食べ物や飲料を保存するための金属缶として、幅広い用途を生み出した。第三には、地球上の多くの地域で見られる急激な生活水準の上昇が、広範な財やサービスの需要を増加させ、鉱産物はそれらの生産に集約的に用いられるようになってきた。第四に、世界人口の急激な上昇は、充足を求める人間の数を増加させていることである。これら四つの事項

Box 1-1. 鉱産物の特性

鉱産物を三つの類型あるいは種類　— 燃料、金属、非金属 —　に区別するのが一般的である。燃料は石油や天然ガス、石炭、ウランを含み、それらが作り出すエネルギーによって評価される。金属はおもに材料として使われる。鉄鋼やアルミニウム、銅は最も重要な金属であるが、ほかにもさまざまな金属がある。非金属はおもに建設などの工業分野、肥料生産で使われる。それらには、砂や砂利、石、石灰岩、硫黄、リン灰石など、多くの物質が含まれる。

すべての鉱産物は鉱物資源から生産されるが、同じ類型のなかでも採掘方法は大きく異なる。たとえば、石油と天然ガスが坑井から汲み揚げられるのに対し、石炭とウランは多くの金属と同じように採掘される。しかし、マグネシウムは海水から抽出される。砂と砂利の生産は比較的単純であるのに対し、銅や鋼の製錬は高度に洗練された技術が必要とされる。モリブデンはおもに銅製錬の副産物として回収され、鉛はおもに古屑のスクラップのリサイクルによって供給される。コバルトは少数の国だけで生産され、広く貿易されている。しかし、砂と砂利は広く入手可能なうえ、船舶による輸送は不経済であるので、小規模な国際貿易が行われているにすぎない。

のなかで、今後、緩和の兆候が期待されるのは人口成長の項目のみである。

鉱物資源の消費量あるいは生産量に見られるこの急激な増加は、鉱産物の利用に深いかかわりを持ち、長期にわたる利用におおきな懸念を投げかけている。というのは、周知のように、鉱物資源は本質的に非再生であり、供給には限界があるからである。

石油や銅などの鉱産資源が地球に賦存する量は限られているのに対し、需要は年々増え続けている。その結果、安定した鉱物資源の供給がおのずと脅かされるようになるのは、時間の問題であると考えている人は少なくない。過去何十年間にわたって続いている成長速度に見合った開発が続くならば、鉱物資源の枯渇はより早い時期に重大な問題を引き起こすことになろう。また、より低品位で遠隔地にある鉱床の開発が進展すると、鉱物資源を生産、使用することによって発生する環境などの社会的費用が増大しそうである。おそらく、これは枯渇する以前であっても、鉱物資源の利用を制限することになろう。

しかしながら、鉱物資源の長期の利用可能性に関する懸念は、一義的に決まるものではない。この論争のもう一方の見方に、適切な公共政策とそれに連携した市場は、いかなる脅威をも処理するのに十分であると考えている人々がいる。供給不足が差し迫り、鉱物価格が上昇すると、その動きを打ち消すさまざまな力が働くようになり、価格の上昇を緩和することになる。探査が活性化すると、新規鉱床発見の可能性があがる。研究開発により新技術が生み出されると、これまで利用できなかった岩石から鉱物資源の生産ができるようになる。リサイクルも増加するし、比較的豊富に存在する資源や再生可能な資源が、拡大する供給不足になやむ鉱物を代替する。また、価格の上昇は鉱物資源の使用を減少させることにもなる。これは消費者に高価格な財とサービスの購入を躊躇させ、消費者は購入する品目の組合せを工夫することによって、その使用を減らすことになる。

これらの変化にともなう利害関係はささいではない。とくに非再生資源にとって重要である。長期にわたる鉱物資源の利用可能性は、人口増加への対応は別にしても、現在でも人口を維持するためには地球の持つ能力に大きく依存している。これは、近代文明を維持するための鍵ともなっている。非再生資源なしには、電話やテレビ、コンピュータは存在しないし、自動車、自転車、トラック、バス、トラクター、船、飛行機も造れない。電気もない。高層ビルや巨大都市も存在できないだろう。近代医療と科学の発展もなかったであろう。何千年もの間、人類が石や岩以外の非再生資源を利用せずに生きながらえてきたとしても、その生活の質はいかなるものであったであろうか？

第2章で示すように、資源の利用可能性についての議論は特別に新しいものではない。この30年間にとくに活発になってきてはいるが、その歴史は、古典派経済学者に至るまでの少なくとも200年前までさかのぼることができる。しかし、最近の文献の多くは、経済学者や地質学者、エコロジスト、その他の専門家によって専門的に書かれることが多く、一般の人には、興味を持っていてもわかりづらい。

目的と範囲

本書は、鉱物資源の利用可能性について展開されている議論を分析するために必要な枠組みを提供しようとするものである。同時に、専門家でない読者にも理解できるように、主要な文献を解説する。これらの作業をとおして、いくつかの疑問に答えるように努めよう。つまり、われわれは何を学んできたのか？　現在の専門家はどのような事項について一致しているのか？　何について意見が異なり、それはなぜなのか？　学んできたことの重要な意味は何であるのか？　とくに、現代文明の存亡がかかわっている貴重な鉱物資源を使い果たしながら、— 数日の水と食料しか残されていない救命ボートで海洋を漂流している船員のように、— 現代文明は猶予時間（on borrowed time）を生きているのか？

本書で焦点としているのは、数十年あるいは数世紀にわたる鉱物資源の利用可能性、もしくはよく資源枯渇または資源の減耗と呼ばれている問題である。資源枯渇以外の理由で起こる利用可能性の問題には触れていない。ストライキ、カルテル、価格統制などの政府の政策、独占、悪天候、災害、景気循環による好況、さらに探査と開発への不十分な投資、これらはすべて一時的に鉱産物の不足を引き起こすことがある。しかし、このような不足は、通常、数日からおそらく10年程度の一時的なものである。不足が続いている間は、相当な混乱と困難が生ずるが、これらは本書が扱う範囲外である。

専門用語

利用可能性や稀少性、不足といった用語は本書で頻繁に扱われる用語である。詳しくは第3章で解説するが、鉱物資源の利用可能性については、多くの基準と定義があるものの、それらはいずれも適応する限界を持っている。しかし本書の目的に沿うと、長期的な社会福祉に対応して、鉱物資源の枯渇が増大してくる脅威に、利用可能性の傾向が反映していることが重要である。この視点から、鉱産物を獲得するためにあきらめなければならないほかの財やサービスという尺度に置き換えて利用可能性を評価する。経済学者はここで払われる犠牲を「機会費用（opportunity cost）」と呼んでいる。もし石油の利用可能性が低下しているとすると、時間の経過とともに、1バーレルの石油を追加するために、より多くの量の他の財やサービスを控えられなければならないことを意味し、枯渇の脅威が増加してきていることになる。

「（供給）不足（shortage）」という用語はしばしば、銅のような特定の産品について、一般的な市場価格において、供給に対する需要の超過を反映するときに使われる。このような供給不足の事態は、政府や企業が価格を統制したときに起こることもある。しかし、このような事態はまれである。というのは、通常、需要が供給を超過すると、価格が上昇することによって、両者のバランスが戻るからである。

いずれにしても、この定義では本書の目的には狭すぎる。価格の上昇によって供給と需要は等しく保たれるが、消費者は、その財を購入しづらくなる。消費者にとってはしだいに供給が不足し、稀少になっていることを実感するであろう。この点を考慮して、不足と稀少性という用語をより広く定義する。拡大する不足あるいは増大する稀少性は、利用可能性の低下と同一であり、たとえ価格上昇のおかげで需要と供給のバランスが保たれていても供給不足と稀少性は起こり得る。

われわれは、また鉱物資源と鉱産物、再生資源と非再生資源とを区別する必要がある。銅のような「鉱産物（mineral commodity）」は、黄銅鉱や銅を含有するその他の鉱物などの銅資源から生産される。「鉱物資源（mineral resources）」は数十年や数世紀ではなく、何億年単位で計られる地質年代を経て起こった地質学プロセスの産物である。このプロセスは、人類がかかわってきた時間の尺度に比べると、あまりにも長いので、鉱物資源は「非再生（nonrenewable）」であると考えられている。それとは対照的に、水や空気、森、魚、太陽エネルギーのような多くの資源は「再生可能（renewable）」と考えられている。海で捕られる魚や森で伐採される木は、たいへん短い期間で復元することができる。それゆえ、現在の使用によって、未来の利用可能性が減少するという結果を必ずしも導かない。しかし、再生資源も乱獲すると非再生資源と同様に枯渇にさらされることもあり得るので、非再生資源と再生資源の相違がどの程度重要なのかには議論の余地がある。この問題については第7章で再考する。

本書の構成

序文に続く本書の構成は次のようになっている。第2章では、鉱物資源の長期利用可能性に関する研究の歴史的な進展を考察する。ここではThomas MalthusやDavid Ricardo、Harold Hotellingの先駆的な研究と、1970年代以降の豊富な文献についても紹介する。

第3章は、資源の利用可能性における長期トレンドの評価に用いられるさまざまな基準を紹介し、それぞれの長所と欠点を考察する。埋蔵量や資源量ベースといった物理的基準、および費用や価格といった純経済的な基準について考察する。ユーザーコスト、経済的あるいは物理的な枯渇、およびRicardoとHotellingのレントの概念を探究する。時間の経過とともに、鉱産物の利用可能性は低くなるよりむしろ高まってゆくという可能性を取り上げる。

第4章では第3章で述べた基準を用いて、前世紀における資源稀少性の傾向を検証する。ここではHarold BarnettとChandler Morseの生産費用に関する先駆的な研究に加え、Margaret Sladeや他の研究者による鉱産物価格についての最近の研究を扱う。用途が広範囲になり、消費量が加速されたにもかかわらず、前世紀の間に鉱物資源は稀少にならなかったことを指摘する。

第5章では、過去の傾向が必ずしも将来の良い指針にはならないことを認めるたうえで、近未来（次の50年）と遠未来における鉱産物の利用可能性をみる。鉱床形成にともなう地質学的特性に関するBrian Skinnerの研究と、それが示唆する将来の稀少性について言及する。また、鉱物資源の利用可能性の将来的な傾向を示すさまざまな要因を分類するための概念的な手法である累積供給曲線も紹介する。この章では、遠い将来の鉱物資源の利用可能性に関して、現時点では未知であることが理解され、この問題についての論争がなぜ続くのかという説明にもなっている。しかし社会が、もし費用を負担する意志があるなら、経済限界下の鉱物鉱床の性質と範囲についての活発な調査を行うことによって、将来の供給不足の見通しについて重要な情報を得られることを示唆する。

第6章は鉱山の開発にともなう環境やその他の社会的費用に目を向け、それらが長期の鉱産物の利用可能性に及ぼす脅威を評価している。それはとくに社会的費用の計測の困難さや手工業的な小規模採掘の規制の困難さに配慮し、鉱物を生産する企業に総生産費用の負担を強いる公共政策の能力を検討する。さらに、すべての社会的費用が内部化されることを前提として、新技術や他の手段で資源産業が費用を削減できる能力についても評価する。この章の終わりでは、経済学者や社会科学者が、これまで工学者や自然科学者が伝統的に培ってきた役目を補完し、資源枯渇にともなって起こる悪影響を抑えるための社会の取組みにますます大きな役割を演ずるようになることを示唆した。

最終章となる第7章は、研究の成果をまとめ、次のような項目への適用を考える。持続可能な発展、環境会計（グリーン・アカウンティング）、先住民文化や社会財の保護、保全、リサイクル材料、再生資源、世界人口である。とりわけこの章では、鉱物資源の利用可能性と持続可能な発展とのかかわりが、多くの人が想像するよりもはるかに漠然としたものであることを指摘する。すなわち、増大する資源の利用可能性が持続可能な発展を保証しないのと同様に、減少する資源の利用可能性が持続可能な発展を必ずしも妨げるとは限らない。

Peter Howie による巻末付録と用語集が第7章に続く。付録は、1870年からの石油、天然ガス、石炭、鉄鉱石、銅、そしていくつかの重要な鉱産物の実質価格のトレンドを載せている。用語集では本書で用いた専門用語の多くを簡潔に定義している。

これらに加えて、各章のなかで、本文から独立したボックスに補足情報を記載した。この情報は、本文で論じられている課題をとりあげ、読者によってはなじみの薄い重要な事項を記述し、本文中の分析の補足資料としている。章の最後に注釈と参考文献を載せた。

第2章
現代までのながれと展開

資源の不足、そしておそらく資源の利用可能性に対する問題は、はるか昔までさかのぼることができる。たとえば、約3,000年前、ペリシテ人やドーリス人などが地中海東部を侵略した。このために1世紀近くの間、ギリシャが青銅の作成に必要とした錫の輸入ルートが切断された。Maurice and Smithson(1984)によると、この結果発生した錫の不足が、ギリシャ人に鉄を生産する技術開発をうながし、青銅器時代の終焉と鉄器時代の幕開けとなったとしている。

資源の利用可能性に関する古い時代の出来事は、ほかにも多々あげることができる。しかしながら、本書の目的からすると、18世紀の終わりから19世紀初頭の古典派経済学者の研究から始めることで十分であろう。

古典派経済学者、1798～1880年

古典派経済学者のなかで、資源の利用可能性と人間の存在状況に関する見解で最もよく知られているのがThomas Malthusである。彼の最初の著作である、「An Essay on the Principle of Population（人口論、あるいは人口の原理)」は1789年に匿名で出版され、存命中に5版まで再発行された。この影響力を持った論文は、耕作可能な土地は限られているにもかかわらず、人口は抑制されずに、継続的に成長する傾向があると論じている。より多くの労働力が利用可能な土地を耕作するにつれて、労働者あたりの生産は、生活を維持できる最低水準にまで低下することになる。この時点を超えた人口成長は困窮や悪徳によっ

て妨げられる。第2版でMalthusは、生活水準が生存レベルにまで低下する前に、「慎重な抑制」によって人口成長を制限できるかもしれないという考えを導入した。この重要な条件が加わっているにもかかわらず、一般読者は、Malthusを人間の福祉の見込みについて非常に悲観的な見解を持つ学者とみなしている。現実に、彼の著作の影響で、何年にもわたり経済学はよく「dismal science（陰うつな学問）」と呼ばれてきた。

David Ricardoは、1817年に初版が出された「Principles of Political Economy and Taxation（経済学及び課税の原理）」でMalthusの分析をさらに押し進めた。最も重要な点は、Ricardoが農地の質の差を考慮に入れている点にある。最初に耕作されるのは、最も優良あるいは肥沃な土地であると想定している。人口が増加し、食料の需要が高まるにつれて、より質の悪い土地が農業生産に活用される。限界的な農地を耕作するのにかかるよりも高い費用を補うために農作物価格が上昇する。ここで、より肥沃な土地の所有者は、一般に「経済レント（地代；economic rent）」や「リカードレント（地代；Ricardian rent）」[1]と呼ばれる余剰収入を得ることになる。Malthusの世界と同じように労働者あたりの生産高は落ちる。しかし、下落する理由は、新しく生産に活用される土地の質が悪くなることにあり、一定量の（同質の）土地に追加される労働者の数ではない。

Malthusが鉱業と非再生資源を無視しているのに対して、Ricardoは、耕作地と同様に、鉱床の質もさまざまなものがあることを指摘した。その結果、土地の分析時と同じようなことが鉱物資源に対しても適用できると主張している。すなわち、新しい鉱床を発見し、新しい採掘技術を開発することが可能であるとしている。ところが、鉱山の枯渇性の性質を考慮しておらず、そのため枯渇性が非再生と再生可能な資源の基本的な相違点になっているところに気づいていない点に問題がある。

ある意味でRicardoはMalthusよりも悲観的であるが、別の見方をすれば楽観的でもある。彼の分析では、資源の利用可能性の減退は労働の生産性を低下させる。それは資源の利用可能性の低下と同時に起こるか、あるいはやせた土地が初めて生産に使われはじめたときに起こる。Malthusでは、利用可能な農地がすべて利用された後で労働の生産性の低下が起こる。逆に Ricardo の世界では、肥沃度の低下が許容されている限り、より多くの土地を生産に使うことが常に可能となる。

ここで議論する最後の古典派経済学者 John Stuart Mill は、1848 年に最初に出版された「Principles of Political Economy（経済学原理）」において Malthus と Ricardo の両者の見解を発展させた。Mill によると、肥沃度の低い土地を耕作する必要から生じる Ricardo の言う稀少性は、農業に利用可能なすべての土地が生産に活用されるずっと前に起こるであろう。実際、農業が可能な土地は Malthus が考えるよりもはるかに広範囲であると議論した。またさらに、制御されない人口増加の悪影響により生活水準が生存レベルに下がる前に、人々は子孫を制限することになるだろうとも論ずる。そのうえ新技術が、生活水準を低下させる資源の稀少性の傾向を相殺できるとも認めている。このような見解から、人類の生存条件に対する Mill の見解は Malthus や Ricardo よりも楽観的である。

自然保護運動、1890 ～ 1920 年

資源の利用可能性の懸念に関する次の興味深い動きは、19 世紀末の自然保護運動によって表面化した。この動きは、アメリカのフロンティアの消滅や広大な原生林の急速な伐採と相ともなって起こった工業化によって促進され、この展開は、おもに政治的で社会的な運動であった[2]。Malthus や Ricardo、Mill とは違い、自然保護運動の指導者達は経済学者ではなかった。Theodore Roosevelt や Gifford Pinchot のように何人かの著名人を含めて、多くは自然科学者であった。

その結果、自然保護運動に関する多くの文献は、経済学の核心にあたるところで整合性を欠いている。次の文章はよく引用される「The Fight for Conservation」(Pinchot 1910, 123-124) からの一節で、この事情がうまく表現されている。すなわち、物理的な供給量の減少が資源の利用可能性の低下と全く同等に扱われている。

> われわれの文明に欠くことのできない五つの必須の物質は、木材、水、石炭、鉄、農産物である。‥‥　現在の伐採速度で木材を利用できるのは30年以下である。われわれの森林の需要は人口増加の2倍の速さで増加してきたことを示している。無煙炭は50年しかもたず、瀝青炭も200年以下である。鉄鉱石や鉱物油、天然ガスの供給も急速に枯渇してきており、多くの大規模な鉱山や油田がすでに枯渇した。このような鉱物資源は、一度なくなると永遠に消滅してしまう。

自然保護運動は、古典派経済学者よりも天然資源と自然をより多元的にとらえ、さまざまな構成要素が相互依存しており、全体ではきわめて複雑になっている。そしてわれわれの自然への絶対的な依存は、単に経済的であるだけなく、精神的で、宗教的でさえある。驚くことには、自然は人類の価値を増進している。自然保護は資源の慎重な利用であり、経済学者の効率の概念とは大きく隔たる。可能ならば、非再生資源の代わりに再生資源を、乏しい非再生資源の代わりにより豊富な非再生資源を使い、一次資源に代わってリサイクルされた製品を利用するということになる。これらの見解の多くは現在におけるエコロジストの著作に、はなばなしく引き継がれている。

自然保護運動は1980～1920年の間、北アメリカに集中しているが、類似した動きが別の国での工業化の過程で、異なった時期に出現している。たとえばW. Stanley Jevons(1865)は、イギリスにおいて石炭資源の供給限界が将来の工業化成長の足かせとなると警告している。

第二次世界大戦と戦後初期、1940～1965年

1930年代は、世界は大恐慌への対応に追われていた時期である。30年代の終わりから40年代前半には、資源の利用可能性についての関心が戻ってきたが、それは戦争に必要な物資を確保するための短期的な課題に集中していた。しかし、戦後まもなく、世界が復興を始め、長期経済発展の影響を考えるようになり、鉱物資源の長期的な利用可能性が再び注目を集めた。アメリカ合衆国では

この問題に取り組むために、William S. Paley 議長の名前を冠した Paley Commission（ペイリー委員会）として一般的に知られている President's Material Policy Commission が設立された。その委員会は、1952 年に全 5 巻の分厚い報告書を発表し、将来の需要を満たすための世界の鉱物資源の適正を評価した。第 1 巻の言葉によると：

> 問題の本質を極端に簡略化すると、ほとんどの鉱物資源の消費量は複利で表される速度で拡大している。これに対し、資源量が他の分野に与える影響がどのようなものであるかは別にして、消費量に呼応した形で資源量が拡大していないことが、資源問題をますます困難なものにしてきている、ということである。この資源問題は、過去において、需要と供給のバランスが価格変動によって修正され、解決してきたような、局部的かつ一時的な「供給不足」の問題ではない。われわれが今日直面する資源問題の状況は、より大きく、より広範囲になっている。(President's Materials Policy Commission 1952, 2)

Paley Commission の報告に応え、Ford Foundation（フォード財団）は、1952 年に天然資源の開発と保全、利用に関する研究と教育のための非営利企業「Resources for the Future」を設立するための資金を提供した。その後数十年の間、Resources for the Future は、20 世紀下半期における鉱物資源の長期の利用可能性についての多くの研究を支援してきた[3]。20 世紀後半の鉱物資源の長期利用可能性についての論争を形づくった二つの独創性に富んだ研究の一つで、大きな影響力を与えた Barnett and Morse(1963) の画期的な研究も含まれている。もう一つの研究は、この章の終わりに論じられる Harold Hotelling(1931) の「The Economics of Exhaustible Resources」である。

Barnett and Morse は、資源の物理的な利用可能性と経済的な稀少性との相違を明確に指摘した。たとえば、19 世紀後半、鯨の多くの種がほとんど絶滅するまで捕獲され、鯨油の実際の供給量と潜在量は衰退した。ところが、これまで鯨油によって満たされてきたニーズを、低費用の石油製品と電力の開発が代わって満たすようになり、物理的な減少が経済的な稀少性を生み出すには至らなかった。

Barnett and Morse は、経済的稀少性の基準を用いて再生資源と非再生資源、とくに非再生鉱物資源が、20 世紀の間、資源利用が急増したにもかかわらず、1870 年から 1957 年の間に（彼らが調査した期間)、利用可能性が下がったのではなく上昇したことを見出した。この好ましい結論は、おもに資源枯渇の悪影響を相殺する技術変化に依存しているとした。この驚くべき成果は、当時の認められた見識とは全く対照的であり、この分野における研究ブームを活気づけた[4]。第 4 章では、Barnett and Morse の研究とそれから派生した文献を検証する。

成長の限界と社会的費用、1970 ～ 2000 年

タイミングがすべてであるということが、しばしば投資の分野でいわれている。ときおり、同じようなことが学術出版物についても当てはまるかもしれない。1972 年に Donella H. Meadows と彼女の同僚が「The Limits to Growth（成長の限界)」という本を出版した。「システムダイナミクス」と呼ばれる分析手法を用いて、将来の世界のシナリオを生成するモデルを構築した。公共政策による調整を除外して、進展する可能性が最も高いと思われる標準ケースのシナリオでは、21 世紀半ばまでに鉱物資源が枯渇する結果として、1 人あたりの食料および工業生産の崩壊を予測した。経済学者やその他の人々が、この研究における資源の利用可能性の基準（第 3 章で説明する）やその他の欠点について激しく批判したにもかかわらず、そのタイミングがよかったことから、広く読まれ、大きな影響力を持った。

本書が出版されて間もなく、石油輸出国機構（OPEC）に属する中東の国々が 1973 年の中東戦争で、イスラエルを支持したアメリカとオランダへの石油輸出を停止した。同時に OPEC は輸出を抑えることで、石油価格が世界的に 3 倍上昇するように画策した。他の多くの鉱産物の価格も、日本や北アメリカ、西ヨーロッパでの好景気と連繫して急激に上昇した。

もちろん、輸出停止やカルテル、好景気によってもたらされる一時的な供給

不足は、必ずしも枯渇の問題とはならない。しかし、一時的にせよ、この混乱は苦痛をもたらし、商品価格が市場清算水準を超えることを防ぐために一部の消費国が行った市場コントロールによって、部分的にいっそう悪化した。これらの問題が、概して、資源の利用可能性、とくに「成長の限界」に人々の注目が集まった。多くの人々が、1970 年代初めの混乱は、枯渇が近い将来に起こり、より恒久的かつ深刻な供給不足にかかわる最初の警告とみなした。

しかしながら、広く予想された稀少性は、1980 年代、1990 年代にかけて、石油、石炭、天然ガス、鉄鉱石、アルミニウム、銅やその他の多くの鉱産物の価格が実際には下落したので、現れなかった。これは資源の利用可能性が減少するよりもむしろ成長していることを示唆した。その結果、資源枯渇の恐れは、完全に消散したわけではないが、沈静化した。それらは、鉱物の採掘、製錬、利用にともなって損失する、生物の多様性、先住民の文化、原生地域のような環境汚染や社会的費用に対して増大する懸念にとって代わられた。次の引用はこの移り変わりをよく表している[5]：

> 環境保護論者（宇宙人）という新しく出現してきた種族と新マルサス主義者という古い種族との違いは、後者が、環境自体が限られた資源であることに気がつかなかった点にある。新マルサス主義者は主として潜在的な資源の稀少性を強調した。････　私を含めて多くの者が、適切な自由市場が与えられると、ほとんどどのような稀少な材料資源（エネルギーを除き）においても代替物の発見のための技術が頼みの綱にできると信じている。しかしながら、気候の安定、成層圏のオゾン、空気、水、表土、植生（とくに森林）、あるいは生物の多様性についての納得のゆく技術的代替品はない。いずれの事柄でも、完全な損失は、人類にとって大惨事であり、おそらく致命的であろう。技術は多くの物を創造できる（貨幣は多くの物を買える）が、大気や生態圏の代替物は創造できない。この点において、技術的楽観主義は間違っている。(Ayres 1993, 195)

20 世紀の終わりになり、われわれは密接に関連した二つの脅威に直面している。一つは、文明が成り立つための基礎材料である鉱物資源を消費する速度が上昇していることである。われわれはまだ世界的な鉱物不足を経験したことはないが、それは地平線にまで姿を現している。二つ目に、鉱物資源の採掘と消費によって起こる汚染が拡大し、それが地球の表面を住みにくくしていることである。このうちのどちらが先にわれわれの生活水準の継続的な向上を制限することになるかを、よく考えなければならない。(Kesler 1994, iii)

もう一つの興味深い変化の例は、「Beyond the Limits（限界を超えて）」(Meadows and others 1992) であり、これは「The Limits to Growth」刊行 20 周年に書かれた続編である。原著と同じように、「限界を超えて」は、将来のシナリオを作るためにシステムダイナミクスモデルを使っている。いずれの研究でも、標準ケースシナリオでは、21 世紀中に近代文明が崩壊するとみている。しかしながら「限界を超えて」では、資源枯渇よりもむしろ資源の生産と使用にともなって失われる環境が近代文明の崩壊を引き起こすとしている。

Hotelling と枯渇性資源の理論

これまでの議論で、現在に至るまでの資源の利用可能性について進展してきた経緯を述べてきたが、Harold Hotelling(1931) が、論文「The Economics of Exhaustible Resources」において記述した重要な展開が欠けている。この論文（重要でかつ複雑なので概観を最後に検討する）のなかで、Hotelling は、既知で一定の資源量のもとで、時間の推移にともなう鉱山の最適産出量を探究した。問題を単純化するため、彼は六つの強い仮定を置いた。(1)鉱山の目標もしくは目的は、現在および将来の利益の現在価値（Box 2-1. を参照）を最大化することである。(2)鉱山は完全に競争的であり、したがってその生産に対して受け取る価格に支配力を持たない。(3)不確実性がないので、鉱山は、現在および将来の費用と価格、ならびに資源の埋蔵量の規模や性質をわかっている。(4)鉱山の生産量は、現存する生産能力などの制限に縛られることなく、ある特定の時期に、ごく少量の生産や残存している埋蔵量をすべて生産することができる。(5)鉱山

Box 2-1. 現在価値

今日受け取った1ドルは、1年後もしくは10年後に受け取る1ドルよりも価値がある。なぜならば、今日受け取った1ドルを投資して、来たる1年もしくは10年の間に収入や利子を稼ぐことができるからである。経済学や金融における研究では、将来、受け取れるであろう収入と支払わなければならない支出の現在の価値を決定するのに「現在価値（present value）」の概念を使用する。この概念は、将来の収入もしくは支出を貨幣の時間的価値で割り引くことにより、その現在価値を決定する。たとえば、もし、貨幣の時間的価値（無リスクの投資で得られる利子で近似される）が年5％ならば、今から1年後の1ドルの現在価値は95セント（もしくは1ドルを1.05で割る）である。そして今から5年後の1ドルの現在価値は78セント（もしくは1ドルを1.05^5で割る）である。このように、ある期間での純収入（収入引く支出）の系列を作成することで、現在価値を計算できる。

の埋蔵鉱石は均一であり、品位やその他の性質は変化しない。(6)技術変化はない。

これらの条件のもと、枯渇性資源を開発している企業は、長期にわたりすべての投入物に制約のない他の産業の企業とは異なる行動をとることを、Hotellingは示した。初歩的な経済学の教科書の原理に従うと、一般的な産業はそれぞれの時点で、さらに1単位生産するための追加費用または限界費用がちょうど一般市場価格に等しくなるような点に至るまで、産出量の拡張を続けることによって、利潤の現在価値を最大化する。この点においては、より多くの産品を作り出す費用が、企業が得る追加的な収益に等しくなるかあるいはそれを超過するので、それ以上の生産の拡大によって利潤を減少させるかもしれない。

一方、資源企業では、今日の生産1単位ごとが将来の利潤減少を意味することを考慮しなければならない。鉱石が均一な世界では（Hotellingが仮定したように）、今日の1単位の生産量の増加が操業の最終期における1単位の産出を減

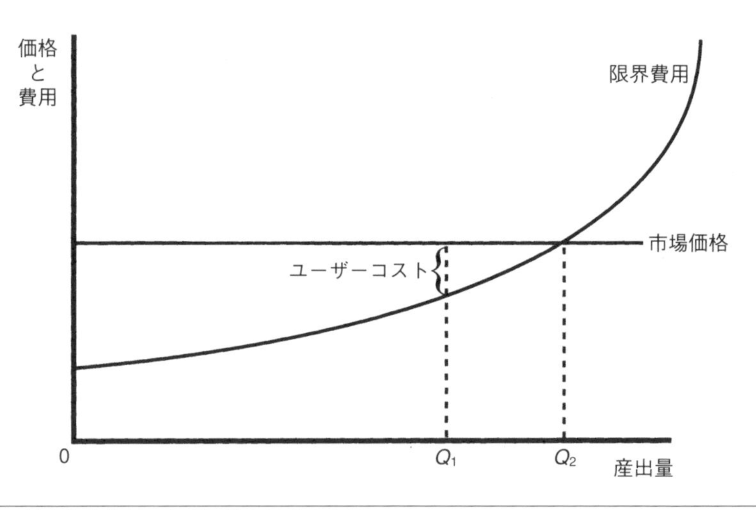

図 2-1. 鉱産物生産者の市場価格と最適産出量

らす結果となり、その 1 単位に関連する利益の損失をもたらすことを意味する。鉱石が不均一な世界（すなわち、ある鉱石が他の鉱石よりも安価で採掘、製錬される世界）では、今日の産出の増加は、より低品位な資源を将来開発しなければならず、より高い費用と低い利潤につながることを意味する。

したがって、追加的な 1 単位を生産する費用に加えて、機会費用、一般的に「ユーザーコスト」と呼ばれる将来利益の損失の現在価値に等しい費用が存在する。その結果、資源企業は、ある特定の時点で、さらなる 1 単位の生産にかかる追加費用もしくは限界費用にユーザーコストを加えた費用が、市場価格と等しくなる点までしか産出量を拡大するインセンティブを持たない。図 2-1. はこの違いを説明している。固定されたストックを持つ企業は Q_1 にて生産する。投入物に制約のない企業は Q_2 まで生産量を拡大することになる。

ユーザーコストは、現在の生産が 1 単位増加することにともない失われる将来利益の現在価値であるので、企業がさらに 1 単位の生産物を生産するために必要とされる追加的な資源を保持していれば得られたかもしれない将来の追加利益の現在価値を反映する。これは、ユーザーコストが地中にある鉱物資源追加 1 単位の現在の価値を測るということを意味する。そのうえ、鉱物資源ストックが均一であるとの Hotelling の世界では、利用可能な鉱物資源量にユーザーコストをかけた額によって、地中にある鉱物資源の全ストックの現在価値を求めることができる。

Hotellingは、また、地中にある鉱物資源は資産であるとし、彼の仮定のもとでは、同様のリスクを持つ他の資産と同じ利益率（r）で収益を得なくてはならないと指摘している。もしこれがあてはまらないならば ― すなわち、鉱物資源の収益率が他の類似する資産の収益率よりも低いならば、― すぐさまこの資産を採掘、回収、販売し、得られた利益をより収益が高い他の資産に投資するほうが、所有者にとって有益であろう。この動きは、現時点での鉱物価格を押し下げ、後期（利用可能量が少なくなったとき）の価格を引き上げることになる。この流れは地中にある鉱物資源を所有する収益率が他の類似する資産の収益率にちょうど等しくなるまで続くであろう。逆に、鉱物資源の収益率が他の類似する資産の収益率より高かったならば、鉱物資源の所有者は採掘、販売することを躊躇することになろう。これは現在の価格を上げ、将来の価格を下げさせることになり、この動きによって、鉱物資源を所有することによって得られる収益率は、他の資産の収益率水準に到達するまで下がることになるだろう。

この理論的解析は鉱物の利用可能性に関して重要な意味を持っている。すなわち、価値もしくは価格が時間とともにr%の率で幾何級数的に上昇し、地中にある鉱物資源の利用可能性は低くなってゆくと予想される。ここでrは他の類似する市場資産の収益率である。

何十年もの間、Hotellingの論文はほとんど省みられなかった。しかし、1960年代から、経済学の分野における最も優れた学者たちが、高等数学における新しい展開のなかで複雑な異時点間の最適化問題を解く魅力に引きつけられてこのトピックに注目した。結果として発表された論文では（Peterson and Fisher(1977)、Bohi and Toman(1984)、Krautkraemer(1998)、Neumayer (2000)で検証されている）、Hotellingの仮定の多くが緩和されている。それは資源の有限な性質を考慮して、個々の鉱山の最適行動から社会全体としての最適行動にまで視野を広げた。さらに、最近の研究はさまざまな因子を考慮に入れている。すなわち、探査と新しい鉱床の発見、探査から鉱産物の再利用への技術変化、異なった品位と質を持つ鉱体、不確実性と不完全情報、リサイクル、企業の価格コントロールを認める市場支配力、現在および将来の利益の現在価値を最大化すること以外の企業目的などの因子である。

Hotelling の仮定を緩和することによって結果が変化することは驚くにあたいしない。もはや、地中の鉱物資源の価値が時間にともなって r %の割合で上昇しなければならないことはない。現実に、探査と新技術によって地中の鉱物資源の価値は下落することもあり、これは資源の利用可能性が増加していることを暗に意味している。それにもかかわらず、Hotelling の論文とそれに刺激された研究は、鉱物資源の長期の利用可能性についてのわれわれの理解に重要な役割を果たしている。次の二つの章では枯渇性資源の理論における Hotelling とその他の研究に言及しよう。

注　釈

1. リカードレントを、小作農家が土地の利用料として地主に支払う賃貸料と考えるとわかりやすいであろう。土地が肥沃ならば、小作農はより多くの地代（レント）を支払うことをいとわないし、地主はより多くの地代を要求するであろう。
2. この節は主として、Barnett and Morse(1963) が述べる自然保護運動についての興味深い章（第 4 章）をもとにしている。さらに、この著書は Hays(1959) に基づいて述べられたものである。
3. 何年にもわたり Resources for the Future が助成してきた資源の利用可能性に関するその他の研究例としては、Adelman(1973)、Bohi and Toman(1984)、Darmstadter and others(1977)、 Herfindahl(1959)、Kneese and others(1970)、Landsberg and Schurr(1968)、Landsberg and others(1963)、Manners(1971)、Manthy(1978)、Potter and Christy(1962)、Smith(1979)、がある。
4. Barnett and Morse(1963) の第 2 章では、「Contemporary Views on Social Aspects of Resources（資源の社会的側面に関する現代的見解）」と題され、この本が書かれた時代に普及していた政治やさまざまな学問分野（自然主義、生態学、人口学、政治学、経済学）の興味深い解説が含まれている。
5. 初期の研究者は、1990 年代の資源開発における環境制約についての問題を予期している（たとえば、Brooks and Andrews(1974)）。

参考文献

Adelman, M.A. 1973. *The World Petroleum Market*. Baltimore, MD: Johns Hopkins University Press for Resources for the Future.

Ayres, R.U. 1993. Cowboys, Cornucopians and Long-Run Sustainability. *Ecological Economics* 8: 189-207.

Barnett, H.J., and C. Morse. 1963. *Scarcity and Growth*. Baltimore, MD: Johns Hopkins University Press for Resources for the Future.

Bohi, D.R., and M.A. Toman. 1984. *Analyzing Nonrenewable Resource Supply*. Baltimore, MD: Johns Hopkins University Press for Resources for the Future.

Brooks, D.B., and P.W. Andrews. 1974. Mineral Resources, Economic Growth, and World Population. *Science* 185: 13-19.

Darmstadter, J. and others. 1977. *How Industrial Societies Use Energy: A Comparative Analysis*. Baltimore, MD: Johns Hopkins University Press for Resources for the Future.

Fisher, A.C. 1979. Measures of Natural Resource Scarcity. In *Scarcity and Growth Reconsidered*, edited by V. K. Smith. Baltimore, MD: Johns Hopkins University Press for Resources for the Future, 249-275.

Hays, S.P. 1959. *Conservation and the Gospel of Efficiency: The Progressive Conservation Movement, 1890-1920*. Cambridge, MA: Harvard University Press.

Herfindahl, O.C. 1959. *Copper Costs and Prices: 1870-1957*. Baltimore, MD: Johns Hopkins University Press for Resources for the Future.

Hotelling, H. 1931. The Economics of Exhaustible Resources. *Journal of Political Economy* 392: 137-175.

Jevons, W.S. 1865. *The Coal Question*. London: Macmillan.

Kesler, S.E. 1994. *Mineral Resources, Economics and the Environment*. New York: Macmillan.

Kneese, A.V. and others. 1970. *Economics and the Environment: A Materials Balance Approach*. Baltimore, MD: Johns Hopkins University Press for Resources for the Future.

Krautkraemer, J.A. 1998. Nonrenewable Resource Scarcity. *Journal of Economic Literature* 36: 2065-2107.

Landsberg, H.H., and S.H. Schurr. 1968. *Energy in the United States: Sources, Uses, and Policy Issues*. Baltimore, MD: Johns Hopkins University Press for Resources for the Future.

Landsberg, H.H., and others. 1963. *Resources in America's Future: Patterns of Requirements and Availabilities, 1960-2000*. Baltimore, MD: Johns Hopkins University Press for　Resources for the Future

Manners, G. 1971. *The Changing World Market for Iron Ore, 1950-1980*. Baltimore, MD: Johns Hopkins University Press for Resources for the Future.

Manthy, R.S. 1978. *Natural Resource Commodities — A Century of Statistics*. Baltimore, MD: Johns Hopkins University Press for Resources for the Future.

Maurice, C., and C. W. Smithson. 1984. *The Doomsday Myth: 10,000 Years of Economic Crises*. Stanford, CA: Hoover Institution Press.

Meadows, D. H., and others. 1972. *The Limits to Growth*. New York: Universe Books.

Meadows, D. H., and others. 1992. *Beyond the Limits*. Post Mills, VT: Chelsea Green Publishing.

Neumayer, E. 2000. Scarce or Abundant? The Economics of Natural Resource Availability. *Journal of Economic Surveys* 143: 307-335.

Peterson, F.M., and A.C. Fisher. 1977. The Exploitation of Extractive Resources: A Survey. *Economic Journal* 87: 681-721.

Pinchot, G. 1910. *The Fight for Conservation*. New York: Doubleday, Page and Company.

Potter, N., and F. T. Christy, Jr. 1962. *Trends in Natural Resource Commodities: Statistics of Prices, Output, Consumption, Foreign Trade, and Employment in the United States*. Baltimore, MD: Johns Hopkins University Press for Resources for the Future.

President's Materials Policy Commission. 1952. *Resources for Freedom, Volume I — Foundations for Growth and Security*. Washington, DC: U.S. Government Printing Office.

Smith, V.K. 1979. *Scarcity and Growth Reconsidered*. Baltimore, MD: Johns Hopkins University Press for Resources for the Future.

第3章
不完全な基準

資源の利用可能性を測るには多くの方法がある。どれも完全とはいえないが、優れたものもいくつかはある。この章ではまず、ほぼ完全に物理的に規定される基準を考察する。これらの基準は頻繁に文献にとりあげられ、非常に直観的にアピールできる魅力がある。次に、経済的な基準を検討する。どの経済的な基準にも欠点があるものの、鉱物枯渇による長期的な脅威を評価するには、物理的な基準よりも有効なことがわかるであろう。その結果として、第4章では、鉱産物の利用可能性の歴史的な傾向を経済的基準に基づいて識別することにしよう。

物理的基準

物理的基準のもとになる理論は単純かつ魅力的である。第1章で述べたように、地球が有限であるため、石油、石炭、鉄、銅、その他どの物質も地球に含まれている量は、限定されている。したがって、どの鉱産物の供給であってもストック量が固定されている。物理的基準はある時点において残存している量を評価しようと試みるのに対して、鉱産物の需要のほうは年々継続するフローの変数である。いずれは利用可能な資源は消費しつくされることになり、物理的な枯渇が起こる。利用可能なストック量がどれほど永く持続するか — 鉱産物の耐用年数（可採年数、R/P）— を査定するには、将来の需要動向を予測する必要がある。

この枯渇に至るプロセスは、きわめて論理的であり、頻繁に遭遇する見解である。第2章で見てきたように、このプロセスは、Malthusから自然保護運動、さらに最近における成長の限界の警告まで、長年にわたり多大な影響を及ぼしている。Hotellingは個々の鉱山が固定された鉱物資源ストックを持っているものと仮定したが、彼の継承者たちの多くはこの仮定を世界全体へと拡大している。

埋蔵量

物理的基準に用いられる論理は単純であるが、鉱産物の残された利用可能なストックを算定することは容易ではない。埋蔵量あるいは埋蔵量に密接にかかわりのある事柄からの算定が、最も一般的なアプローチとなっている。埋蔵量は一般的に、既知でありかつ現在の技術と価格で開発することによって利益があがる地下資源（油田、鉱床）の量とされる。

各国のあるいは世界全体の埋蔵量のデータは、U.S. Geological Survey（米国地質調査所）をはじめ、他の国の同様な行政機関、そして国際組織から容易に入手可能である。表3-1.の2番目の列は、1999年におけるいくつかの鉱産物の世界埋蔵量を示したものである。しかし、これだけでは何もわからない。通常、鉱産物の耐用年数を計算するために、これらのデータを活用する。耐用年数の計算には、将来の生産量のどれだけが一次生産あるいは採鉱によって得られ、また、どれだけが二次生産とリサイクルから得られるかを推定するとともに、将来の需要予測も必要である（Box 3-1.を参照）。もちろん、埋蔵量を枯渇させるのは一次生産だけである。

表3-1.は、一次生産が年率0、2、5％で増加すると仮定したときの耐用年数を示す。各々の鉱産物について過去25年間での一次生産の平均成長率もまた表3-1.で示されている。ほとんどの場合、この平均成長率は0から4％の間である。鉛と錫は例外で、これらの成長率は年平均マイナス0.5％である。

耐用年数は大きく変動するが、これは驚くことではない。将来の需要と一次生産がより速く成長すると予想されれば、短い耐用年数はしばしば数年以下になることもある。また、表3-1.には示されていないが、マグネシウム（海水から回収される）やカリのようないくつかの鉱産物については、埋蔵量は現在の

Box 3-1. 一次生産と二次生産

鉱産物の供給は、一次生産と二次生産の両者からなる。一次生産は地表下の鉱床から鉱物資源を採掘し製錬することを意味する。鉱産物は、単独の産物（通常の場合、石油、石炭、ボーキサイト、鉄、砂と砂利、リン灰石）、または複合産物（多くの場合、金、銀、鉛、亜鉛、銅、モリブデン）として回収される。鉱山が経済的に依存する重要度よって、複合物は主産物と副産物に分かれる。

二次生産は新スクラップと古スクラップをリサイクルすることによって、多くの鉱産物の供給を増加させる。新スクラップは、製品を製造する工程、たとえば新車のフェンダーの型抜き工程などで発生する。古スクラップは中古車のように、その有用な寿命が終わった消費者と生産者の財から得られる材料である。社会から発生するスクラップのほんの一部分だけがリサイクルされているにすぎない。これは多くの場合、スクラップをリサイクルするよりも一次生産のほうが安価であるからであり、スクラップに含まれる鉱産物が破壊されたわけではない。たとえば、かつてガソリンや塗料の添加物として用いられていた鉛は、依然として存在しており、実際には深刻な環境問題を引き起こすこともあるが、一次生産からの新しい鉛を供給するほうがはるかに安価であるために、リサイクルされない。

生産量で1,000年以上続く量となる。しかし、多くの鉱産物は100年以内になくなり、石油や銅、亜鉛、ニッケル、銀、錫、亜鉛の場合には数十年以内でなくなることを示唆している。おもわしくない結果であり、心配される。

この悲観的なシナリオは、残存する鉱産物のストック量が固定されており、それが埋蔵量に反映すると仮定されている。しかしながら、現実はそう単純ではない。埋蔵量は、現在の技術と価格で採掘可能な、既知の鉱産物の量を示している。採鉱が進むと、時間とともに埋蔵量を枯渇させることになるが、探査による新しい鉱床の発見と、新技術によって、非経済的な既知資源は利益のあがる鉱床へと変換されるので、埋蔵量を増加させることになる。実際には、探査も新技術の発展も見られない世界においても、埋蔵量は、鉱産物の価格の上

表 3-1．代表的な鉱産物の世界埋蔵量と耐用年数

鉱産物[a]	1999 年の埋蔵量[b]	1997 ～ 1999 年の年平均一次生産量[b]	三種の一次生産成長率における耐用年数（年）[c]			1975 ～ 1999 年の年平均生産成長（%）
			0%	2%	5%	
石炭	9.9×10^{11}	4.6×10^{9}	216	84	49	1.1
原油	1.0×10^{12}	2.4×10^{10}	44	31	23	0.8
天然ガス	5.1×10^{15}	8.1×10^{13}	64	41	29	2.9
アルミニウム	2.5×10^{10}	1.2×10^{8}	202	81	48	2.9
銅	3.4×10^{8}	1.2×10^{7}	28	22	18	3.4
鉄	7.4×10^{13}	5.6×10^{8}	132	65	41	0.5
鉛	6.4×10^{7}	3.1×10^{6}	21	17	14	−0.5
ニッケル	4.6×10^{7}	1.1×10^{6}	41	30	22	1.6
銀	2.8×10^{5}	1.6×10^{4}	17	15	13	3.0
錫	8.0×10^{6}	2.1×10^{5}	37	28	21	−0.5
亜鉛	1.9×10^{8}	7.8×10^{6}	25	20	16	1.9

a. アルミニウム以外の金属については、埋蔵量は金属含有量で表されている。アルミニウムの埋蔵量は、ボーキサイト鉱石量である。
b. 石油と天然ガス以外の埋蔵量と一次生産はトンで計られている。石油はバーレル、天然ガスは立方フィートである。
c. 耐用年数の値は、埋蔵量と平均生産量のデータを四捨五入する前に計算された。したがって、4、5、6 列目に表された耐用年数は、2 列目に示される埋蔵量と 3 列目に示される年間一次生産量から導かれる耐用年数とは少しずれているかもしれない。

出典： U.S. Bureau of Mines (1977), U.S. Geological Survey (2000a); U.S. Geological Survey (2000b); American Petroleum Institute (2000); BP Amoco (2000); International Energy Agency (2000)

昇または労働、資本、その他の資源産業にかかわりのある生産要素の費用の低下によって増加する。

探査、新技術、その他の要因は時間とともに埋蔵量を増やすので、埋蔵量を鉱物の利用可能性の長期的な指標として考えるべきでない。むしろ、エネルギー産業や資源産業が探査や新技術に投資することによって増加可能な運転在庫として考えられるべきである。多くの資源産業では、ひとたび埋蔵量が現在の生産量の 20 年から 30 年分に達すると、それ以上に埋蔵量を増加させるための投資に意欲をほとんど示さなくなる。20 年ないし 30 年の間、開発の対象とならない新規埋蔵量を発見するための費用はこの時点で考慮するに値しない。

そこで、いくつかの研究では、鉱物の利用可能性を測ることから生じる埋蔵量特有の問題を、適当な手法で埋蔵量を増加させて克服しようとする試みがな

されている。たとえば、成長の限界(Meadows and others 1972)では現在の埋蔵量を5倍にすることで、さまざまな鉱産物の究極的な利用可能性について妥当な予測値を導きだそうと考えた。また他の研究者は、埋蔵量よりも資源量を活用している。資源量は埋蔵量に、(1)経済的ではあるがまだ発見されていない鉱床と、(2)予測可能な未来に新技術もしくは何らかの発展によって経済的になると期待される鉱床、を合わせた鉱産物の量である。しかし、これらの考え方は、埋蔵量としての基本的な問題点に抵触している。すなわち、結果として得られた数値は、残存する鉱産物の利用可能性を反映した固定的なストック量ではないのである。

資源量ベース

埋蔵量や資源量よりも、地球で見つかるさまざまな鉱産物の総量を測るのに適しているもう一つの物理的基準が「資源量ベース（resource base)」である。この基準は地殻に含まれる鉱産物すべてに対応する（Box 3-2. を参照)。それは、埋蔵量と資源量だけでなく、地表下のあらゆる物質を範ちゅうとしている。資源量ベースは、新規鉱床発見によっても、鉱産物の価格や新技術の導入によっても変わらない量である。埋蔵量、資源量と資源量ベースの関係は、よく知られているマッケルビー・ボックスを改良した図3-1. で示される[1]。

表3-2. は、数例の鉱産物の資源量ベースを、一次生産量が年に0、2、5％で成長したと仮定したときの耐用年数とあわせて記載したものである。最も印象

Box 3-2. 地　殻

地殻は地球を構成する球体の外層である。その厚さは8 kmから70 kmまで幅がある。海洋下部で最も薄く、海水などの水域は含まれない。今日、マグネシウムとリチウムが海水から経済的に生産されている。その他多くの鉱産物も海洋から採取できるが、安価な供給源がほかに存在するので経済的ではない。このことは、資源量ベースにおいて地球の表面で見つかる鉱産物の総量をいくぶん過小評価していることになる。

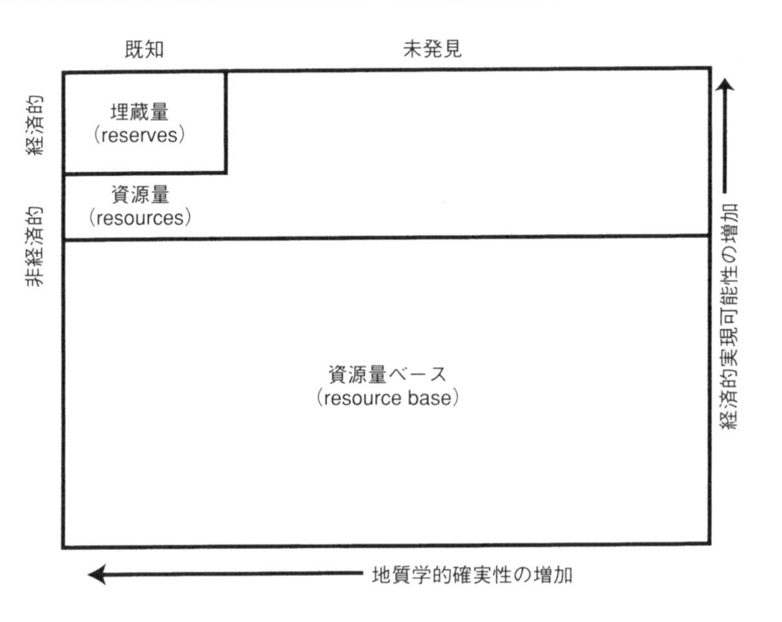

図 3-1．埋蔵量、資源量、資源量ベース

的な結果はとんでもない大きな数値となっていることである。現在の一次生産の速度では、資源量ベースで求めたすべての鉱産物が、何百万年、あるものは何十億年の間、持続可能である。われわれの太陽系がうまれて 50 億年、そしてホモ・サピエンスが登場してから数十万年しか存在していないことを考慮すると、これらはたいへん大きな数値である。社会には鉱物資源の枯渇よりさらに差し迫った問題がある可能性を示唆している。

しかしながら、たった年 2 %の一次生産の連続的な成長を仮定しても、資源量ベースの耐用年数が、数百万年、数十億年から数百年、数千年まで減少することも表 3-2. は示している。これらの数字は小さいので憂慮に値するかもしれない。しかし、大きな数字も含めて、鉱産物の長期利用可能性の指標とするには至らないと考えられる四つの理由がある。

第一に、多くの鉱産物、とくに金属は、採掘され使用されても破壊されない。それゆえ、繰り返し使用することができる。宇宙空間に打ち上げられた微小な量を無視すれば、世界には昔からあったのと同じ量の銅、鉛、亜鉛がある。過

表 3-2．代表的な鉱産物の資源量ベースの耐用年数

鉱産物	資源量ベース（トン）[a]	1997～1999年の年平均一次生産量	三種の一次生産成長率における耐用年数（年）			1975～1999年の年平均生産成長率（%）
			0%	2%	5%	
石炭[b]	n.a.	4.6×10^{9}	n.a.	n.a.	n.a.	1.1
原油[b]	n.a.	2.4×10^{10}	n.a.	n.a.	n.a.	0.8
天然ガス[b]	n.a.	8.1×10^{13}	n.a.	n.a.	n.a.	2.9
アルミニウム	2.0×10^{18}	2.2×10^{7}	8.9×10^{10}	1,065	444	2.9
銅	1.5×10^{15}	1.2×10^{7}	1.2×10^{8}	736	313	3.4
鉄	1.4×10^{18}	5.6×10^{8}	2.5×10^{9}	886	373	0.5
鉛	2.9×10^{14}	3.1×10^{6}	9.4×10^{6}	607	261	−0.5
ニッケル	2.1×10^{12}	1.1×10^{6}	1.8×10^{6}	526	229	1.6
銀	1.8×10^{12}	1.6×10^{4}	1.1×10^{8}	731	311	3.0
錫	4.1×10^{13}	2.1×10^{5}	2.0×10^{8}	759	322	−0.5
亜鉛	2.2×10^{15}	7.8×10^{6}	2.8×10^{8}	778	329	1.9

注：n.a.：データ入手不可

a. 鉱産物の資源量ベースは、地殻1トンあたりに含まれる元素のグラムで表される元素の存在度に、地殻の総重量（24×10^{18} トン）を掛けて算出される。これは地殻に存在する鉱物の量を反映する。

b. 石炭、原油、天然ガスの資源量ベースの推定値は存在しない。したがって、これらの鉱産物の資源量ベースと耐用年数のデータは入手不可能である。U.S. Geological Survey（米国地質調査所）などの機関が、石油、天然ガス、石炭の究極可採資源量を算定している。これらは資源量ベースの推定値として扱われることもあるが、地殻に存在するすべての石炭、石油、天然ガスを推定したものではない。結果として、資源量ベースの評価ではなく、資源量の推定と考えたほうが適切である。

出典：資源量ベースのデータは Erickson (1973, 22-23)と Lee and Yao (1970, 778-786)の情報に基づく。1997～1999年の年平均一次生産量と1975～1999年の年平均生産成長率の数値は、表3-1.とその出典による。

去の生産で、これらの金属は質が落ち廃棄されてきた。この材料を回収し再処理することは高価であるが、これは費用の問題であって、物理的な利用可能性の問題ではない。

第二に、リサイクルはエネルギー資源にとって選択肢とはならないが、最終的な稀少性は代替の機会とバックストップの選択肢によって制約されている。たとえば、石炭、天然ガス、水力、ウラン、風力、太陽エネルギーは、すべて電力を生産できる。どの時点でもこれら資源の利用構成は、おもにその相対的な費用に依存している。

もちろん、石油のような特定のエネルギー資源は、現時点では代替が難しい

か不可能な特異な用途を持っている。たとえば、現在、内燃機関を内蔵する自動車は石油に依存している。しかし、多くの重要なエネルギー消費の最終段階で、資源代替の機会は増加してきている。これは自動車の分野で最も鮮明に現れており、新技術の開発によって将来の車の動力と考えられる電気や燃料電池、その他の石油代替燃料を使って自動車を走らせる可能性が急速に高まってきている。このような選択肢は今日では技術的に可能であり、広く採用されるかどうかはおもに費用の問題である。

このような代替の機会を考慮すると、すべての選択肢が同様に稀少性の増加にさらされている場合に限って、特定の資源の枯渇問題が起こる。非再生エネルギー資源の多くについての資源量ベースは未知である（そして、しばしば仮定されている値よりも小さいかもしれないし、大きいかもしれない）。けれども、再生エネルギー資源、とくに太陽エネルギーの利用可能性は事実上無制限である（Box 3-3. を参照）。

第三に、資源量ベースは、地殻より深いところあるいは宇宙から鉱産物を抽出する可能性を無視している。そのような活用は現時点ではありそうにもないことではあるが、月や地球に近い小惑星における採掘についての議論が進行中である。今日信じがたいように見えることが1～2世紀後には平凡になってしまうかもしれない。このことは歴史が示している。

第四に、そしておそらくこれが最も重要なことであるが、石油の最後の一滴もしくは銀の最後の分子を地殻から採掘する前に、高騰する費用によって需要は完全に消滅しているであろう。経済的な枯渇は資源量ベースの物理的な枯渇が起こるずっと前に、資源の利用可能性の脅威となることを意味している。

これらの理由から、インフレーションを適切に調整した費用と価格は、長期の資源枯渇について、物理的な基準による推察よりも、はるかに有望な、早期の警報システムを提供する。ここで、利用可能性の経済的な基準に話を戻す。

Box 3-3. 太陽エネルギーの利用可能性

地球の大気圏上部に到達する太陽エネルギーの利用可能性は、太陽定数に太陽に面している地球の面積を掛けた値と等しい。太陽定数（SC）は、地球の位置に対して太陽光線に垂直な単位面積あたりに到達するエネルギー量である。これは1平方メートルあたり1,350 Wに相当する(Giancola 1997)。太陽に面する地球の面積はπR^2である。ここでRは地球の半径（6.38×10^6m）で、πはよく知られている円周率（3.14159）である。したがって、大気圏上部に到達する太陽エネルギーは、$SC\pi R^2 = 1{,}350 \times 3.14159 \times (6.38 \times 10^6)^2 = 1.73 \times 10^{17}$ Wである。このエネルギーのおよそ50％しか地表に到達しないので(Ristinen and Kraushaar 1998)、地球の表面に到達する総太陽エネルギーはこの値の半分、すなわち8.6×10^{16} Wである。この値に1年間の時間数を掛け合わせ、1,000で割る（WからkWに変換するため）と、7.9×10^{17} kWhの太陽エネルギーが1年間に地球の表面に到達していることがわかる。

この数値の大きさを把握するために、年間の世界の石油生産から得られるエネルギーと比較する。石油1バーレルのエネルギー量はさまざまである。アメリカでは平均して約580万BTU（英熱量単位）(U.S. Energy Information Administration 2001a)、あるいは1,700 kWhに相当する。表3-1.に示したように、世界の年間原油生産量は1997～1999年の間で平均2.4×10^{10}バーレルであった。1バーレルあたり1,700 kWhとすると、この出力は4.0×10^{13} kWhのエネルギーとなり、1年間に地球の表面に到達する太陽エネルギーの約0.005％となる。

U.S. Energy Information Administration(2001b)によると、原油生産は世界のエネルギー出力の40％を占める。そうすると現在のところ、総エネルギー出力は太陽エネルギーの0.012％に等しい。これは太陽エネルギーの物理的な利用可能性が、現在の世界エネルギー生産の総合計より概算で8,000倍大きいことを意味する。

強調しておかなければならないことは、世界がこの利用可能な太陽エネルギーをいつの日か、すべて利用するようになるかもしれないことを示唆しているのではないということである。おそらく世界が太陽光パネルで完全に埋め尽くされるはるか以前に、環境費用を含む太陽エネルギーの費用は上昇し、太陽エネルギーの追加的な利用が不経済的になってしまうであろう。重要な点は単純に、費用の問題であり、エネルギー産品の利用可能性を究極的に決定する物理的な利用可能性ではないということである。

経済的な基準

鉱産物の長期の利用可能性には三つの広く認められた経済的基準がある　— 採掘と製錬の実質限界費用、鉱産物の実質市場価格、そしてユーザーコストである（Box 3-4. を参照）。第 2 章で指摘されたように（図 2-1. 参照）、鉱産物の生産者は、限界生産費用にユーザーコストを加えた額がちょうど市場価格に等しくなる点を越えてまで生産を拡大するインセンティブを持っていない。したがって、これらの三つの経済的基準は関連しあっている。

これらの関係を表すと図 3-2. のようになる。縦軸は鉱産物の市場価格と、資源企業が商品を生産できる種々の（発見された）鉱床についての生産費用を示す。生産費用が異なるのは、鉱床の性質が異なるからである。ある鉱床は、高品位であり、製錬が容易で、すでに必要なインフラも整い、安価な海上輸送が可能なところに位置している。他の鉱床はそうではない。図 3-2. で A とマークされた柱は最も低い費用（最も品位の高い）の鉱床を示している。それは単位あたり C_1 費用で、毎年 $0a$ の量を生産できる。柱 B は 2 番目に低い費用の鉱床で、単位あたり C_2 の費用で、年間 ab の量を生産できることを示している。柱 C は 3 番目に経費の低い鉱床を表す、などである。

数値は市場価格が P で、単位生産あたりのユーザーコストが $P-C_m$ である。また単位あたりの生産費用が一つの鉱体あるいは鉱床のなかではほとんど変化がなく、少なくとも鉱床間との費用の差と比較すると、あまり差がないと仮定している。このために、それぞれの鉱床についての生産費用が水平線で描かれることになる。

市場価格が生産費用にユーザーコストを加えた額をまかなえる場合に限り、

Box 3-4. 実質および名目の費用と価格

鉱産物の名目の費用と価格は、インフレーション、すなわちすべての財とサービスの平均的な物価の全般的な上昇の結果によって、時間とともに上昇することがある。インフレーションの影響を取り除くために、経済学者らは、GDP（国内総生産）デフレータ、消費者物価指数（CPI）、生産者物価指数（PPI）のようないくつかのインフレーションの基準で、名目の費用と価格を調整（デフレート）する。調整された数値は実質費用、実質価格と呼ばれる。

たとえば、もしインフレーションが5％で、すべての財とサービスの平均価格を上昇させるとき、銅の名目価格が1年間で10％上昇するなら、銅の実質価格の上昇は5％にすぎない。実質の費用と価格は、追加的な銅1トンを得るために断念しなくてはならない財とサービスを考えるとき、名目の費用と価格よりも良い基準となるので、銅や他の鉱産物の利用可能性について真の傾向を、より正確に反映している。

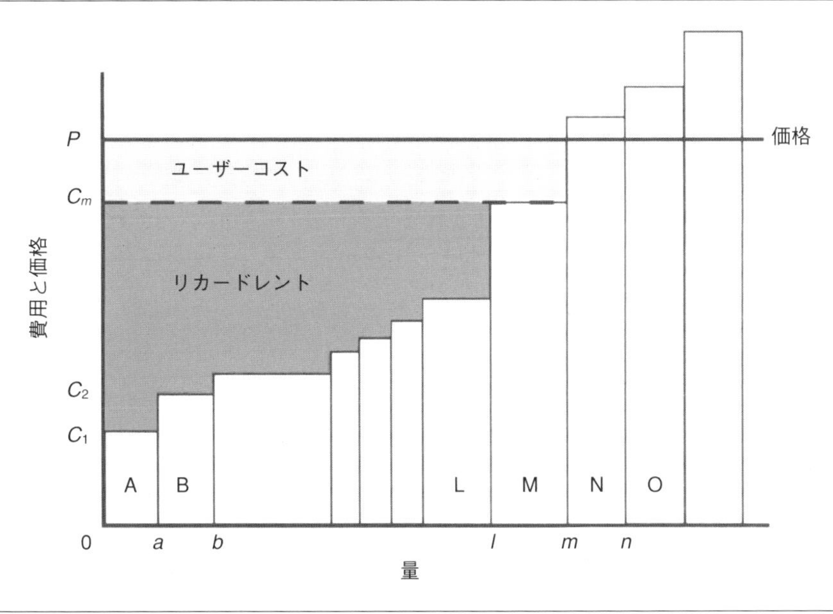

図 3-2. 市場価格、生産費用、ユーザーコストおよびリカードレント

鉱山会社が鉱床を開発、採鉱すると仮定すると、ユーザーコスト（$P-C_m$）に図 3-2. における各々の柱の高さ（生産費用）を加えることで、産業の長期の供給曲線は構成される。市場価格 P において、産業は最初、M までの鉱床から産出量 $0m$ を生産するであろう。これらの鉱床に含まれる鉱石が埋蔵量となる。柱 N 以上の鉱床は、価格 P において採掘しても利益の出ない鉱床を表している。それらに含まれる鉱物は、資源量であり、現在のところ埋蔵量ではない。

生産費用に鉱床 M のユーザーコストを加えた額がちょうど市場価格と等しく、資源利用可能性の経済的な三つの基準である　― 市場価格、限界生産費用、ユーザーコストの関係を説明しているのが鉱床 M である。A から L までに位置する鉱床は、生産費用にユーザーコストを加えた額が市場価格より低くなっており、質の高い鉱床のおかげで、付加的な利益を享受している。この追加的な利益は、第 2 章で書いたように、一般にリカードレントと呼ばれる（Box 3-5. を参照)。図 3-2. が示すように、A から L の鉱床のみがリカードレントを享受しているが、鉱床 M と同様に、それら鉱床もユーザーコストを支払っている。

それとは対照的に、図 3-2. に見られるユーザーコストは本当の意味で経済レントではないが、経済学者らはユーザーコストをしばしばホテリングレントや稀少レントと呼ぶことがある。A から L の鉱床はリカードレント分を失ってもその所有者が生産を続ける動機を持っているけれども、これはもはやユーザーコストを回収できない鉱床には当てはまらない。たとえば、価格が少しでも低下すれば、鉱床 M は閉鎖に追い込まれるであろう。これはユーザーコストが、レントではなく費用を表すからである。この理由から、本書ではホテリングレントあるいは稀少性レントよりも「ユーザーコスト」という用語をより好んで使う。

図 3-2. は価格と費用、ユーザーコストの関係を説明しているが、資源の利用可能性についてのこれら三つの指標はそれぞれ異なったものを測っている。市場価格は、さらに 1 単位の鉱産物　― たとえば、原油 1 バーレルや製錬された銅 1 トン　―　を得るための機会費用（諦めなければならないものとの意味で）を反映する。

ユーザーコストは地中にある石油や銅鉱石の価値を反映している。ある特定

Box 3-5. 経済的レント、リカードレント、ユーザーコスト

多くの人にとってレント（地代）は、通常、月の始めに家主にアパートあるいは家に対する単なる支払いである。しかし、経済学者にとってこの用語は全く異なり、たいへん特別な意味を持っている。

「レント」または「地代」は、所有者が市場に出した生産要素に対する支払い（労働者の場合、従業員あるいは工員へ支払い、もしくは鉱物鉱床の場合、採掘権の所有者への支払い）以上に支払う、生産要素の所有者への支払いである。たとえば、もし年俸100万ドルのフットボール選手が、（彼が給与だけの理由で職業を選ぶものとすると）、10万ドルの年俸で電気技師として働かなければならないなら、90万ドルのレント収入を得られることになる。同様に、企業（生産要素の集合であると考えられる）が、業界に参入するために（もしすでに業界の一員であるなら、その撤退を妨げるために）、必要な額を上回る価格を受け取るとき、レント収入を得ることになる。

図3-2.のAからL鉱床で見られるリカードレントは、特殊なタイプの経済レントである。それは、これらの鉱床が生産を停止する前に、どれほど鉱産物の価格が下落できるのかを示す。

の条件のもとで、ユーザーコストは、限界的な品質（カテゴリーM）の埋蔵量をさらに1単位見つけるための期待費用に近づく[2]。通常、より品質が高い埋蔵量を発見するにはより高い費用がかかる。なぜなら、これらの鉱床が存在することは稀で、おそらく存在している高品質な鉱床の大部分はすでに発見されているからである。期待される発見費用はユーザーコストに、リカードレントを足した額に近くなる。

採掘と製錬の費用は、地中から資源を採取し、市場で売ることができる形である、原油や精製された銅あるいはその他鉱産物に変換するためにかかる労働力などの投入財の価値が反映されている。これらの相違は、三つの経済的基準が鉱産物の長期の利用可能性に関して別々の信号を発するかもしれないことを意味する。

停滞した世界、すなわち発見や技術革新が起こらず、既存の鉱石がすべて同じ品質である場合には、ユーザーコストが毎年 r %（地中の鉱物資源に類似している他の資産の収益率）で上昇することを Hotelling(1931) が示した[3]。ここでの採掘と製錬の費用は一定である。その結果として、産出の最後の 1 単位を生産する限界費用はそれぞれの期間で同じであり、すべての産出にわたる平均費用に等しい。この状況では、市場価格はユーザーコストと同じ絶対率で上昇する。しかしながら、採掘と製錬の費用がゼロでない限り、市場価格の増加は、ユーザーコストの率である r %よりも低い。この状況では、生産費用は資源の利用可能性の変化を示さないとはいえ、ユーザーコストと、より低い上昇率であるが市場価格は稀少性の増加を示す。

鉱産物の採掘と製錬の技術変化を考慮すると、生産費用は時間とともに低下してゆく可能性がある。この下落が、ユーザーコストの上昇を吸収する以上になると、市場価格を下げることになるかもしれない。しかしながら、このような好ましい傾向はいつまでも続くことは期待できない。なぜならば、時間がたつとユーザーコストが市場価格の多くの部分を占めるようになるからである。第 4 章で説明するように、Slade らは、このことから、鉱産物の実質価格が最初に減少し、その後上昇する U 字型カーブをたどるだろうと想定している。

さらに一歩進め、採掘と製錬における技術変化だけではなく、新規発見とさまざまな品位の鉱床を認めることによって、市場価格がいつまでも低下することを容認したうえで、生産費用だけでなくユーザーコストも低下する可能性が導かれる。もう一度図 3-2. において、鉱床 N と同じ生産費用の大きい鉱床が多くあると仮定しよう。この場合、生産費用が鉱床 N と同レベルにいったん達すると、安定するであろう。ユーザーコストは下方へ移行するであろう。なぜなら、鉱床 N とすべての類似する鉱床が枯渇に至るまで、今日の産出増加にともなう将来の失われる利益は何年もの間、問題にならないからである。結果として、失われる利益の現在価値は、鉱床 N を開発する前の将来利益損失の現在価値よりもはるかに低くなるであろう。

このような状態はバックストップ技術が存在する場面で生ずるかもしれない。たとえば、もし天然ガスの生産費用が上昇し、太陽エネルギーが経済的になるところまで達すると、天然ガスのエネルギー生産に関連するユーザーコストはゼロに落ちるであろう。

経済的基準への挑戦

鉱物資源の利用可能性についての経済的基準（価格、限界生産費用、ユーザーコスト）は、物理的な基準（埋蔵量、資源量、資源量ベース）より優れていると今日では広く（普遍的ではないが）認められている。しかしながら、それらは完全ではない。鉱産物価格は、少なくとも短期的には、長期の利用可能性の傾向よりも、たとえば景気循環による周期的な変動、災害、ストライキなどによって影響されやすいかもしれない。また、カルテルなどの市場支配力の形態、政府の価格統制、公的な補助金、生産者や消費者が支払わない環境費用などの社会的費用を含め、さまざまな市場の不完全さによってゆがめられることもある。たとえば、1970 年代初めの石油価格の急激な上昇は、長期の利用可能性が問題となるよりも、石油輸出国機構の実際あるいは認知された市場支配力と景気循環における短期変動を反映している。

同様に、市場の不完全さと混乱は、とくに短期的には、限界採掘費用を乱すかもしれない。1970 年代初期の石油価格の急騰は、たとえば、以前には経済的でなかった費用の高い油井を開発するように投資家を刺激した。採掘費用についてのさらなる欠点は、将来の予想に失敗することである。今日の鉱産物価格は将来の不足を予期することで上昇するだろうが、採掘費用は、将来に利用するであろう資源の品質よりもむしろ、現在に利用されている資源の品質に依存する。

ユーザーコストは、とくに採掘費用が一定であるときに理解するのが容易である。しかし、採掘費用が上昇している場合、低品位ではあるが豊富に存在する資源に移行するに従って、ユーザーコストが低下することを見てきた。これは将来の資源不足に対する脅威が減少することを反映しているが、過去の傾向をさほど反映はしない。もし採掘費用の傾向を過去に求めすぎると、ユーザーコストの動きは反対の傾向になるであろう。

もう一つの稀少性の経済的基準の欠点は、資源利用可能性の傾向について全く異なった指標を提供してしまうことである。たとえば、枯渇がユーザーコストを押し上げている間に、新技術が生産費用を押し下げているかもしれない。このような状況のもとでは、鉱産物価格は上昇するか、下降するか、あるいは一定になるかもしれない。したがって、鉱産物の利用可能性の傾向に対する意味は不明瞭となる。

エコロジー経済学者らは、これらの経済指標の使用は、不十分な反映にすぎず、さらにいくつかの点で基本的な欠陥を持った市場プロセスの反映でしかないとの理由で批判する。これには、経済基準に対して少なくとも五つの課題が含まれている。

第一に、経済システムは、有限な世界の生態系の一部あるいはサブシステムである、という議論がある。経済システムは生態系から資源を抽出し、廃棄物を生態系に捨てる。世界経済が小さい間は、生態系はこれらの相互作用を少ない費用あるいは費用なしで吸収できた。しかしながら、前世紀に起こった世界経済システムの成長にともなって変化した。その結果として、現在の経済活動に関連する環境と社会の膨大な費用が、生産者が負担する費用もしくは消費者が支払う価格に反映されていない。Julian Simonとの討論で、Norman Myersはこの見解を進めた：

> われわれが購入する財はしばしば生産工程内での汚染費用が隠されて生産されてきており、われわれがそれらを消費したり、あるいは使用後に廃棄するとき、より大きな汚染、たとえば酸性雨、オゾン層破壊、地球温暖化が起こる。これは、購買者にとってのみでなく、今日と明日のすべての人が被る汚染である。しかし社会的費用はわれわれが支払う価格にほとんど反映されていない。もし価格が現実的な指標として役立つことを望むならば、経済の外部性を内部化しなければならないのに、ほとんどなされていない。外部性は他の人々に窃盗費用を課す以外の何ものでもない。
> (Myers and Simon 1994, 185)

伝統的な経済学者は、もし価格と費用が資源の利用可能性における真の傾向を反映するなら、環境やその他の社会的費用を含み、鉱産物を生産するすべての費用が内部化されるべきであるということに同意するであろう。しかしながら、批評家は、外部費用は非常に膨大かつ広範囲であると見ている。生産者と消費者にこれらの費用の支払いを強いる能力あるいは意志を、社会が持っているかどうかを疑っているのである。さらに、もしこれらの費用が考慮されたならば、過去に鉱産物につけられた価格と費用は、より高く、より速く上昇したであろうと主張する。

第二に、鉱産物価格、採掘費用、ユーザーコストを決定している関係者自身が、適切に情報を把握している場合に限り、市場は信頼ある稀少性の指標を提供できる。Norgaard(1990, 19-20) が言っているように、「もし資源の配分者が情報を知らないなら、意思決定がなされる費用と価格の経路は、現実と同じように彼らの無知を反映しそうである」。

第三に、世界的に所得と富の分配が非常に偏っているために、世界人口のほんのひとにぎりの人々が鉱産物の需要を不当に決定している。もう一度、Myers によると：

> いずれにしても、市場の指標は、‥‥　市場において貨幣で投票することができる人々のみの評価を反映している。この選択権は、これまで見てきたように、世界で 5 人のうち 2 人はほとんど完全に無視されている。これらの人々にとって、価格の下落により消費が着実に高められることや、あるいはウォルドーフ（ニューヨークの高級ホテル）がすべての人に利用しやすくなるといったことが、‥‥　はたして何の意味があるというのか？

このような需要の歪曲は、価格の推移や資源の利用可能性の経済指標にバイアスをかける。収入と富をより均等に配分することによって、世界人口の下位 3 分の 1 が住宅、食物、その他の生活必需品に対する需要を増やすことになろう。もちろん、裕福な上位 3 分の 1 は財とサービスの需要を減らさねばならない。しかしこのような転換はおそらく、全体的には材料とエネルギーに対する世界の欲求を増やすことになろう。これは、現行の非常に不公平な市場システムによって作り出された鉱産物価格と生産費用のパターンとは異なった、おそらく大きく異なったものとなろう。

第四に、市場システムは、また、将来世代の利害関係に適切な重み付けをできない。なぜなら、一方だけ（誕生してくる子孫はまだいない）が存在する状態で、市場でやり取りが行われ、商品価格を決定する公共政策を形づくるからである。もし未来世代の声を考慮に入れたならば、批評家が主張するように、資源消費を未来に向けるために、われわれは将来の利益をより小さく割引、現在の商品価格を上げるであろう。

第五に、市場は人類の利害関係だけに配慮している。人類以外の他の種も同様に、本源的な価値を有しているとの議論がある。人類を擁護する意志がある限り、市場と公共政策はそれらの利害関係を優先する。もし人類だけでなくすべての生物に富が適切に配分されるなら、商品価格の水準と傾向ははるかに高くなる可能性がある。

資源の利用可能性についての経済的基準へのこれらの挑戦は、より深く検討しなければならない重要な課題を提起している。第一は、鉱物の生産（そして他の多くの経済活動）の真の費用は、生産者が負担する費用、そして消費者が支払う価格をはるかに超えているという考えである。これは環境やその他の社会的費用を内部化する公共政策の大いなる失敗を示す。ほとんどの人は公共政策が完ぺきであるとは考えていない。既得権益と広範囲にわたる無知がしばしば次善の政策を促進することがある。しかしながら、ここでの問題は、とくに最終的に政府が国民に対して説明責任を持つ国において、長期にわたる公共政策の重大な失敗についてどれほど説得力がある議論を展開できるかにある。

二つ目の懸念、すなわち市場参加者の無知が資源の利用可能性の経済的基準を損なうという懸念は、不確実性と不完全な情報がもたらす複雑性を浮き彫りにする。しかしながら、この複雑性が経済的基準の有用性にどの程度の悪影響を及ぼすかは、(1) 利用のされかたと、(2) 無知の大きさに依存する。もし目的が、現在の指標をもとにして正確に予想することであるにもかかわらず、現在の市場参加者が情報を不十分にしか知りえないとすると、経済的基準の利用には問題がある。けれども、もし現在の参加者に相応な知見があると考えるならば、市場が情報に精通するためのインセンティブを与えるので、経済的基準によって描かれる傾向はより信頼できるものになろう。

どちらの場合も、Krautkraemer(1998, 2088) の指摘のように、経済指標は「特定の時間における稀少性についての利用可能な情報を反映し、その情報は時間とともに変化する」。そこで経済指標は、資源の稀少性がどのように変化しているかについて、市場の共通の認識を反映させるべきである。この共通認識は不完全であるが、重大な問題は、長期にわたる資源稀少性の利用可能性について、それが最良の根拠として成り立つかどうかである。

資源の利用可能性の経済的基準に対するその他の課題は、より基本的で、哲学的な問題を提起する。すなわち、資源の利用可能性を測る方法としてだけでなく、さらに重要なことは、われわれが個人として社会として共同で持つ価値観を考慮して、資源配分と意思決定を行うことである。しかし結局のところ、それら個人によってなされる決定と行動に影響を与える限りにおいて、これらの課題は意味がある。次の Stokey and Zeckhauser(1978, 262) からの引用が雄弁に語る：

> われわれの主張では、重要なのは人であり、そして人だけであるということである。これが意味するのは、セコイヤ林、ルリツグミ、バイカル湖やオールドマン・オブ・ザ・マウンテン［訳注：ニューハンプシャー州北部のキャノン山脈にある老人の顔に見える岩山］は、人がそれらを救う価値があると考えるならば、保護する価値を持っているのである。理論的に考えて、人類以外の存在の権利は、政策をつくるにあたって正当な判断基準のように思われる。しかし実際には、人が擁護しなければ、この権利は無意味である。すなわち、セコイヤ林やルリツグミはどちらも自分から発言することができないからである。もしこの判断がはなはだしく頑固であるとの印象を与えるなら、別の角度から見てみよう。消滅する種である天然痘ウイルスのために、いくつの擁護の声があがったか？　そして誰がワタミハナゾウムシ（綿花の害虫）を弁護するのか？　人類中心のアプローチに対する実際的な支持が十分にある。あらゆる哲学的な正当化に反して、

もし人がセコイヤ林を気にしないなら、セコイヤ林は破壊されるであろう。

多くの思慮深い人々は、世界の所得と富がいっそう公平に分配されることを望むかもしれないが、それは資源の利用可能性（もしくはその問題のための他のもの）にとって、経済的な投票権を奪われた購買力に実際に影響を与えるまで、問題は少ない。同様に、未来世代あるいは他の種の利害は、彼らの代弁者によって議論されているにもかかわらず、現世代の人間がそれらを考慮する限りにおいてのみ、現在に影響を与える。公共政策が異なっていた（より適切であった）なら、資源の利用可能性はより好ましい傾向にあったであろう、という考えは興味深いかもしれないが、それは決して現実の動きを変えはしない。豪華なキャデラックやホンダの小型車で、またはSUV車や原付きバイクでガソリンが燃やされているが、過去の利用パターンを変える方法は今やないのである。

注　釈

1. 地質学者でありU.S. Geological Survey（米国地質調査所）の前局長のVincent E. McKelveyは、マッケルビー・ボックスとして知られるようになった、広く採用されている資源分類(McKelvey 1973)を考案した。マッケルビー・ボックスは図3-1.と似ているが、資源量ベースは除かれている。なぜなら、McKelveyを含む多くの地質学者は、埋蔵量でも資源量でもない鉱物資源には、少しもあるいは全く実用性がないと考えているからである。
2. これは、さらなる1単位の埋蔵量を発見するための期待費用が、その1単位の価値とちょうど等しくなる点まで、企業が探査努力を拡張する動機を持つ間続く。
3. 生産能力が鉱産物の生産を制約する場合、Cairns(2001)はユーザーコストが資本の潜在価格を含む場合に限って、r%ルールが適用されることを示した。この理由などから、r%は時間とともにユーザーコストが上昇する上限のみを示す。

参考文献

American Petroleum Institute. 2000. *Basic Petroleum Data Book*. Washington, DC: American Petroleum Institute.

BP Amoco. 2000. *BP Amoco Statistical Review of World Energy 2000*. London: British Petroleum Company.

Cairns, R.D. 2001. Capacity Choice and the Theory of the Mine. *Environmental and Resource Economics* 18: 129-148.

Erickson, R.L. 1973. Crustal Abundance of Elements, and Mineral Reserves and Resources. In *United States Mineral Resources*, Geological Survey Professional Paper 820, edited by D.A. Brobst and W.P. Pratt. Washington, DC: Government Printing Office, 21-25.

Giancola, D.C. 1997. *Physics*. Upper Saddle River, NJ: Prentice Hall.

Hotelling, H. 1931. The Economics of Exhaustible Resources. *Journal of Political Economy* 39(2): 137-175.

International Energy Agency. 2000. *Oil, Gas, Coal and Electricity Quarterly Statistics, Second Quarter*. Paris: International Energy Agency.

Krautkraemer, J.A. 1998. Nonrenewable Resource Scarcity. *Journal of Economic Literature* 36: 2065-2107.

Lee, T., and C.-L. Yao. 1970. Abundance of Chemical Elements in the Earth's Crust and Its Major Tectonic Units. *International Geological Review* 12(7): 778-786.

McKelvey, V.E. 1973. Mineral Resource Estimates and Public Policy. In *United States Mineral Resources*, Geological Survey Professional Paper 820, edited by D.A. Brobst and W.P. Pratt. Washington, DC: Government Printing Office, 9-19. This article also appears in *American Scientist* 60: 32-40.

Meadows, D.H., and others. 1972. *The Limits to Growth*. New York: Universe Books.

Myers, N., and J.L. Simon. 1994. *Scarcity or Abundance? A Debate on the Environment*. New York: Norton.

Norgaard, R.B. 1990. Economic Indicators of Resource Scarcity: A Critical Essay. *Journal of Environmental Economics and Management* 19: 19-25.

Ristinen, R.A., and J.J. Kraushaar. 1998. *Energy and the Environment*. New York: Wiley.

Slade, M.E. 1982. Trends in Natural-Resource Commodity Prices: An Analysis of the Time Domain. *Journal of Environmental Economics and Management* 9: 122-137.

Stokey, E, and R. Zeckhauser. 1978. *A Primer for Policy Analysis*. New York: Norton.

U.S. Bureau of Mines. 1977. *Commodity Data Summaries 1977*. Washington, DC:

U.S. Bureau of Mines.

U.S. Energy Information Administration, Department of Energy. 2001a. Gross Heat Content of Crude Oil, 1990-1999. http://www.eia.doe.gov/emeu/iea/table c3.html

——. 2001b. World Consumption of Primary Energy by Selected Country Groups (Btu), 1990-1999. http://www/eia/doe/gov/emeu/iea/table18.html

U.S. Geological Survey. 2000a. *Mineral Commodity Summaries Online 2000.* http://minerals.usgs.gov/minerals/pubs/mcs/

——. 2000b. Minerals Yearbook: *Volume I, Metals and Minerals.* http://minerals.usgs.gov/minerals/pubs/commodity/myb/

第4章
おだやかな過去

この章では、19世紀末と20世紀初頭の動きを振り返ってみよう。この時期に資源の利用可能性の歴史的傾向を明らかにするために行われた研究、すなわち1870年代から始まり月日を重ねて現在に至るまでの研究を考察する。最終的には、われわれは過去ではなくて未来について興味があり、もちろん、過去の傾向が将来にも続くとは限らない。しかしながら、未来のことを考えるとき（第5章）、過去の理解がいかに役立つかがわかるであろう。

本章は資源の利用可能性について、三つの経済的基準をめぐり構成されている。まず鉱産物を生産するときの実質費用のトレンド、次に実質の鉱産物価格のトレンド、そして最後に実質のユーザーコストのトレンドについて検討する。最後の節では資源利用可能性の過去の傾向について一般的な結論を導き、三つの基準間に見られる不整合性を説明する。

生産費用

資源企業は、一般に生産費用を公開していない。いくつかのコンサルティング会社、行政機関、さらには生産企業自身が、おもに現金費用[1]（可変費用に近く、資本費用は除かれる）を割り出すために、この情報を収集し、見積もっている。しかし、一連の情報はせいぜい数十年しかさかのぼれない。

その結果、生産費用の測定に関する取組みは、鉱産物の生産に使用された投入物のトレンドに焦点が合わせられてきた。これは、たとえば第2章で言及したBarnett and Morse(1963) による先駆的な著書、「Scarcity and Growth」でとられているアプローチである。Barnett and Morse は、Potter and Christy(1962) と Kendrick(1961) によって収集されたデータを用い、すべての一次産業について、1 単位あたりの産出に使用された労働についての指数と、1 単位あたりの産出に使用された労働に資本を加えた指数を算出した。さらに彼らは農業、鉱業、林業、およびこれらの経済部門に含まれるいくつかの産業について同様の指数を計算した。この研究は、アメリカにおける 1870 年から 1957 年までの期間について検討されている。

社会がさらに 1 単位の鉱産物を得るために諦めなくてはならない財とサービスの組合せとして、石油などの鉱産物の利用可能性は測られる。そのため、測定に投入物（Barnett and Morse の場合は労働と資本）の物理的な基準を使用することは、利用可能性の傾向を不完全な形で表現してしまう。投入物の価格が上昇すると、Barnett and Morse が考察した期間における実質賃金の事例で明らかなように、結果として、利用可能性の低下を過小評価するか、あるいは増加を過大評価してしまう。投入物の価格が下がると正反対の結果となる。

Barnett and Morse は生産者の限界費用（理想的にはこのほうが好ましいが）ではなく、すべての生産者に対して、資源生産の労働と資本の平均費用を計測しているが、これは注目にあたいすることである。結果的には、それは限界的な生産者に必要とされる労働量と資本量を過小評価する傾向があるものの、これは彼らの結果と研究成果にそれほど大きな影響を与えないかもしれない。というのは、長期間のトレンドを見ているので、平均費用の指数のトレンドが限界費用の指数のトレンドをほぼ追従している可能性があるからである。

産出 1 単位あたりの労働と資本の投入に関して、生産費用を計測したときの計算結果を示すと、表 4-1. ようになる。Barnett and Morse の研究が出版された当時、この結果は少々驚きの目をもって見られた。一般に採取資源を生産するために必要な労働と資本の投入が、資源消費の劇的な増大にもかかわらず、研究対象となった 90 年間に劇的に、50 %以上低下していたからである。さらに、低下の速度は 1919 年以降のほうが、それ以前より大きくなった。このことは資源が時間の経過とともに、いっそう利用可能になってきただけでなく、その速度が加速してきていることを示唆している。最終的に、鉱業は農業や林業と異

表4-1．アメリカにおけるすべての一次産業および農業、鉱業、林業部門における単位産出あたりの労働と資本の投入指標、1870～1957年（1929年＝100）

期間または年	全一次産業	農　業	鉱　業	林　業
1870～1900	134	132	210	59
1919	122	114	164	106
1957	60	61	47	90

出典：Barnett and Morse（1963, 8）

なって非再生資源に頼っているものの、鉱業部門における生産費用の低下は75％以上と最も大きかった。

Barnett and Morseは、鉱業部門を鉱物燃料、金属、非金属に分け、これら三つのグループすべてで生産費用（単位産出ごとの労働投入に関して測定）が相当に下落してきたことを見い出した。これら三つのグループをさらに個別の鉱産物に分けても、減少トレンドは広範囲に認められる。時間が経つにつれ、石油と天然ガス、瀝青炭と無煙炭、鉄鉱石、銅、リン酸塩岩、岩石、蛍石、硫黄、その他の鉱産物すべてにおいて、単位産出あたりの労働投入が少なくなる。

Barnett and Morseは、これらの好ましいトレンドを技術変化のおかげだとした。新技術が新しい資源を発見する費用を下げる。新技術によって、以前には経済的価値を持っていなかった資源の開発が可能となる。新技術がより稀少な資源の代替として、それほど稀少でない資源の利用を可能にする。新技術が最終財・サービスを生産するのに必要な資源の量を減らす。

さらにBarnett and Morseは、このような技術革新が単に幸運で偶発的な現象ではなくて、必要に迫られて生まれてきたのものだと考えている。したがって、将来の資源利用可能性を高め続けるために、技術革新に期待することができる。彼ら自身の言葉を借りると：

> これらの開発は････本質的に偶然の出来事ではない。かつてはそうであったが、過去の2世紀で物理的な世界に対する人間の知識に、重要な変化が起こった。その変化とは、現代世界の社会の変遷において技術進歩を築いてきたものである････。発明の才能だけでなく、より深い理解が、すなわち運だけでなく組織的な研究が、技術によって自然の形成逆転をもたら

し、自然は人間に服従するようになった。そして研究の努力を、今はある方向で、次には別の方向に向ける。すなわち、革新の優先順位を決定するシグナルは、通常最も声高に解決が叫ばれる問題である。ときには、シグナルは政治的であり、社会的でもある。より頻繁には、民間企業で起こり、それが市場の力となる。(Barnett and Morse 1963, 9-10)

Barnett and Morseの驚くべき研究成果は、批判されないではすまされなかった。この研究は、現在に至るまで継続する、資源採掘と製錬の費用に関する研究の波を起こしている。研究者のなかには(Cleveland 1991)、労働と資本の投入に焦点を絞ったことを問題にし、もしエネルギーやその他の投入物も考慮に入れたならば、結果は非常に異なるかもしれないと論じている。エネルギーは、多くの鉱産物、とくに金属の採掘や製錬、輸送にとって重要な投入物である。たとえば、アルミニウム精錬の費用の25％以上を電気が単独で占めている(Nappi 1988, 表7-3)。

Barnett(1979) 自身を含めて他の批評家が、世界全体として生産費用は上昇しているにもかかわらず、アメリカでは、輸入依存の増加の影響により生産費用の低下が起こり得ることをあげている。その他の人々は、資源の生産に関連して上昇する環境の費用が、それらの数値に含まれていなかったことを指摘する。さらに、解説者(Johnson and others 1980；Hall and Hall 1984) のなかには、Barnett and Morseの分析を1957年以降について延長すると、費用の下降トレンドの反転が見い出せるかもしれないと主張するものもいる。

上記はすべて正統な議論であるけれども、Barnett and Morseの説が非常に堅固であることも証明されてきた。資源採取の費用に関するそれ以降の研究(Barnett 1979; Johnson and others 1980; Slade 1988, 1992; Uri and Boyd 1995) の大部分は、生産費用が1800年代後期から一般的に低下し、とくに非再生鉱物資源で低下したというBarnett and Morseの結論を支持した[2]。

鉱産物価格

鉱産物価格は資源の利用可能性に関する他の二つの経済指標と比べて、実際に役に立つ重要な特性を持っている。第一に、価格はすぐに利用でき、取得が容易である。第二に、価格は理論的に信頼性が高い。これはとくに、ロンドン金属取引所（London Metal Exchange, LME）のような商品取引所でつけられる鉱物価格について当てはまる。このようなことから、鉱産物価格には、歴史的に豊富な研究が見られる。

この節では最初に1960年代と1970年代に着手された初期の研究を検証する。次に、1980年代に始まった鉱産物価格の歴史的な動向をモデル化する試みに注目する。これら初期のモデリングの取組みは、時系列分析における新しい進歩を取り入れたいくつかの事例に見られるように、多くのより洗練されたモデルを生み出した。それらについては章の後半で考察する。

初期の取組み

Potter and Christy(1962)は、天然資源の価格トレンドを最初に体系的な分析をした研究であり、その研究は、アメリカにおける農業、鉱業、林業のさまざまな生産物を扱っている。期間は1870年から1957年にわたり、その後Manthy(1978)によって1973年まで更新された。インフレーションを調整するためにアメリカの生産者物価指数（PPI）を用いて、名目価格を実質価格に変換している[3]。

Potter and Christyから転載した図4-1.は、すべての資源とともに、農業、鉱業、林業の部門ごとに分けた長期の価格トレンドを示している。これは鉱物価格が1870年から1957年の間に40％以上下落したことを示しているが、この下落は、調査期間の最初の10年間に起きている。1880年から後は、戦争などの混乱に応じて短期的変動が多く見られるが、鉱物価格は長期的にほとんど変化していない。

しかし、すべての鉱物をまとめたデータは、個別の産品の間における価格ト

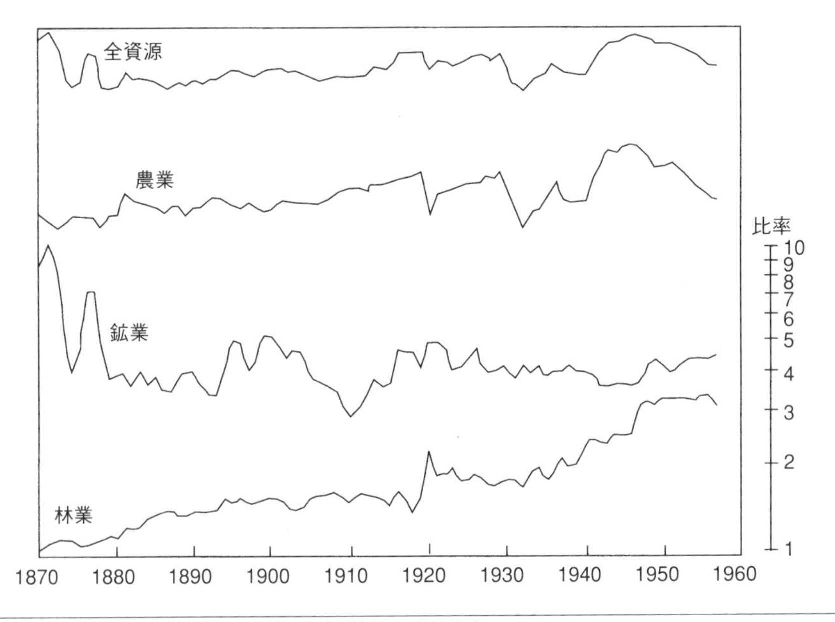

図 4-1．全資源および農業、鉱業、林業部門の実質価格
注：この図は価格の縦軸に対数目盛を用い、値が価格の変化率に等しくなるようにした。これにより全く異なった大きさの価格系列を比較するのが容易になる。
出典： Potter and Christy(1962, Chart 1)

レンドの重大な相違を隠してしまう。たとえば、石炭、鉛、石灰の実質価格は、1870 ～ 1957 年の期間で上昇したのに対し、鉄や亜鉛、銅、石油、リン酸塩岩は下降している [4]。

また Barnett and Morse(1963) は、PPI でなく非採取財の価格でデフレートして、Potter and Christy が収集した価格データを再検討した。短期のトレンドを抽出することで、彼らは鉱物価格が 19 世紀の最後の四半期から非常に安定していたことに気づいた。この結果は Potter and Christy の結果と似ており、Barnett and Morse が同じ期間で鉱産物の生産費用について見い出した急劇な下落とは著しく対照的である [5]。また、価格データは、生産費用データの場合のように、利用可能性の増加を示すものではない。それにもかかわらず、Barnett and Morse は、生産費用と同様に価格のトレンドは、資源枯渇が資源の稀少性を高めているとの仮説を支持しないと主張している。

10 年後に書かれた研究で、Nordhaus(1974) は多くの重要な鉱産物について長期の価格トレンドが実質的に低下したことを見い出した。彼の研究によると、1900 年から 1970 年の間に、たとえば、アルミニウムでは 97 %価格が下落し、石油で 90 %、銅・鉛・亜鉛で 87 %、鉄で 84 %、そして石炭では 78 %、価格が下落したことを示した。彼の結果が、Potter and Christy や Barnett and Morse の結果と一致しないのは、Nordhaus は鉱産物の価格調整に労働費用を用いている点にある。この期間の労働費用の上昇は、卸売りの財や天然資源の価格よりずっと急速であった。

これらの見解は、インフレーションの調整に使用されるデフレータによって、長期の価格トレンドが変化する可能性を強く示唆している。Nordhaus のデフレータである労働費用は、さまざまな鉱産物の価格で雇用できる労働時間数の傾向を示す利点を持ち、理解しやすい機会費用の基準となっている。逆に、人的資本に対する投資（より多くの教育、職場内研修の改善、より良い医療）は労働の質を向上させるので、このことは一面で労働費用を上昇させてきた。したがって、Potter and Christy や Barnett and Morse によって明らかにされた価格トレンドのほうが、鉱産物の利用可能性の傾向に対してより良い基準となり得る。

計量経済モデル

Smith(1979) は、鉱物価格のトレンドをモデル化する最も初期の試みの一つを提供している。Manthy(1978) によって更新、修正された Potter and Christy(1962) のデータをおもに用いて、彼は 1900 ～ 1973 年の期間における天然資源の四つのカテゴリー（すべての採取財、鉱産物、林産物、農産物）の実質価格について、次の単純な線形の時間トレンドを仮定した：

$$P_t = \alpha_0 + \alpha_1 t + \varepsilon_t \tag{4-1}$$

ここで、P_t はアメリカの生産者物価指数によってデフレートされた各天然資源カテゴリーの t 年における平均価格、t は時間トレンド（t = 1,2, ... 74）、ε_t は t 年における撹乱項[6]、そして α_0 と α_1 は期間内で一定であると仮定される未知のパラメータである。パラメータ α_0 は分析が始まる直前（$t = 0$ の時点）の期待価格を示し、したがって正である。パラメータ α_1 は価格トレンド線の傾きを決定する。これは価格の長期トレンドが上昇、水平、下降するかによって、正、ゼロ、負となる。

Smith はパラメータを推測するために回帰分析を用い、トレンド変数のパラメータ（α_1）の推定が、林産物の場合のみ統計的に有意である（パラメータが 90 %以上の確率でゼロではないとの意味）ことを見い出した。これらの結果を一見すると、林業部門を除くと天然資源の生産物の実質価格に有意な長期トレンドがなかったとした Potter and Christy や Barnett and Morse の結論を支持しているように思われる。

しかし Smith は、彼のモデルのパラメータ（α_0、α_1）が 1900 ～ 1973 年の全期間で一定である場合に限り、この結論に根拠があると論じている。また、この可能性が非常に少ないことを異なる 2 種類の統計的手法[7]を使って示した。鉱物の場合、時間トレンドのパラメータ（α_1）の推定値が、1910 年から 1920 年の 10 年間で負であり、ゼロに近づいていたことを示している。このことは、この期間に価格が速度を緩めながら下降していたことを意味する。時間トレンドのパラメータはその後 1920 年代から 1930 年代の間で正に転じており、この期間では価格が上昇していたことを意味する。1940 年代、1950 年代と 1960 年代の初期には再び負となり、その後、調査期間の終わる 1973 年までほとんどゼロに近い状態となっている。

これらの結果は驚くことではないと Smith は考えている。1900 ～ 1973 年の間に、資源価格のトレンドに影響を与える多くの変化が起こっている。この間、アメリカ経済の体質は進行し、集計分類における個別の商品の相対的な重要性がかなり変化した。たとえば石油は鉱業部門のなかでも、また採取財部門全体のなかでも、より重要になっていった。

このような進展の結果として、実質の資源価格がたどった傾向は、1900 ～ 1973 年の期間で変化していると Smith は主張した。長期的にみて資源価格が上昇しなかったことは、近年のより短期間に増加してきている資源の稀少性の証拠を不明瞭にするかもしれない。この理由から、彼は Potter and Christy や Barnett and Morse の結論を疑問視している。

Slade(1982) は影響力を持った実証研究を行い、実質資源価格と時間との真の関係がU字型であると論じた[8]。この仮説のもと、競争市場の条件下で、鉱産物の価格は限界生産費用にユーザーコストを加えた額と等しくなると指摘した(図 2-1. と図 3-2. に示される)。

Hotelling によれば（第 2 章で見たように）ユーザーコストは、時間の経過とともに増加するはずである。しかし、生産費用は上昇あるいは下降しているかもしれない。Slade は、技術変化が長期にわたって採掘と製錬の費用を下げる傾向があるのに対して、より低品位で質の悪い鉱床の開発の必要性が、生産費用を押し上げる傾向にあると主張する。一定期間、技術変化の効果が優勢で、ユーザーコストの上昇と低品位鉱床の悪影響を相殺するかもしれない。この場合、生産費用がユーザーコストの上昇よりも大幅に下がり、これによって実質価格の低下が起こることになる。

しかし、この歓迎すべき傾向はいつまでも継続しない。時間が経つと、生産費用とユーザーコストの合計に占める生産費用のシェアが小さくなり、やがて生産費用の低下がユーザーコストの上昇を相殺しきれなくなる。Slade は、最終的には、新技術の本質的な限界によって、生産費用の上昇を引き起こすので、この反転現象は強まるであろうと考えている。

図 4-2. には予測されるシナリオが描かれている。分析期間の初期（T_0）においてユーザーコストは、限界生産費用と比較して非常に小さい。期間の前半では技術変化のおかげで、ユーザーコストの上昇トレンドを生産費用が十分に相殺する。この好ましい傾向は、その後、ユーザーコストの上昇が生産費用の低下を超えて価格を上昇させる時間 T_1 まで継続する。やがて鉱石品位と鉱床の質の低下によって引き起こされる費用の上昇が、新技術の効果を相殺するにつれて、時間 T_2 において生産費用の下降傾向も反転する。

Slade は 11 種の重要な鉱産物、すなわち 3 種の燃料（石炭、天然ガス、石油）と 8 種の金属（アルミニウム、銅、鉄、鉛、ニッケル、銀、錫、亜鉛）について、この仮説を検証した。彼女は価格と時間の U 字型の関係が、以下の二次関数によって表されると仮定した：

$$P_t = \alpha_0 + \alpha_1 t + \alpha_2 t^2 + \varepsilon_t \tag{4-2}$$

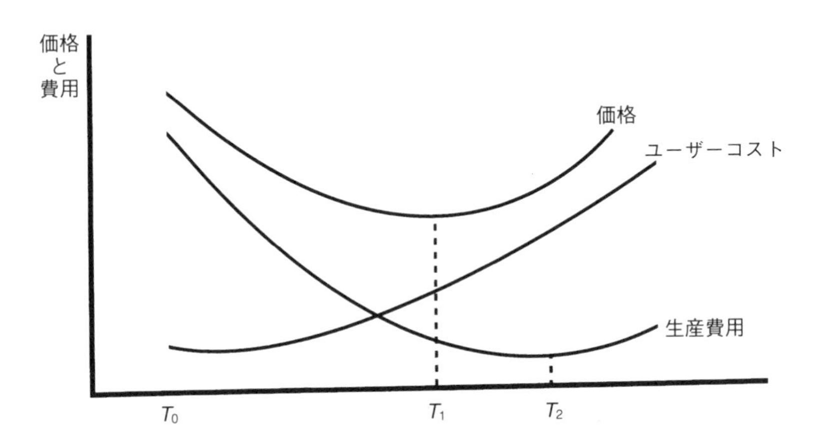

図 4-2. 鉱産物のユーザーコスト、限界生産費用、価格における仮説トレンド
出典： Slade(1982) の図 1 を修正

ここで、P_t はアメリカの生産者物価指数でデフレートされた 11 種の鉱産物のそれぞれ t 年における平均価格、t は時間トレンド（t = 1, 2, …）、ε_t は t 年での攪乱項、そして α_0、α_1、α_2 は未知のパラメータである。

各産品について Slade は、1870 年（データが利用可能である最初の年）から 1978 年までの価格データを用いて、式(4-2)のパラメータ（α_0, α_1, α_2）を推定するために回帰分析を行った。比較のために、式(4-1)で示されるような価格と時間に関する線形の関係についても推定を行った。

価格と時間の仮定された U 字型の関係は、α_1 についての推定値は負で、α_2 についての推定値は正になるだろうと予想され、結果としては 11 の鉱産物すべてについて支持された。さらに、鉛を除いて、非線形の関係を示す α_2 の推定値は、90 %を超える確率水準で正であった。これらの結果は時間とともに、鉱物価格が下落し、その後上昇する傾向があるという Slade の仮説を支持している。さらに、すべての場合において、推定された価格と時間の関係の最小点が例外なく 1973 年以前に達せられていることも見い出された。これは「非再生の天然資源が稀少になってきていることを示す」、と彼女は結論づけた(Slade 1982, 136)[9]。

最近の展開

Slade の研究は、鉱産物の長期の利用可能性に対して重要な示唆を与え、注目を集めた。以後の研究によって、彼女の分析について五つの問題もしくは警告が提起された。

第一に、すでに見てきたように、Smith は、単純な線形モデルのパラメータが長期にわたって一定であると仮定できるかどうかを疑っている。同じ疑問は Slade の二次の関係にも当てはまる。

彼女自身の論文のなかで、この問題に軽くふれている(Slade 1982, 129,136)。もし最初に価格の低下が起こり、やがて上昇するという二次の関数が真の関係であるならば、Smith の線形式における時間変数の推定パラメータが、サンプルの初期では負で、次第にゼロに近づき、やがて実質価格が底に達し、増加を始めると正になる。これが Smith の式によって示された結果であると Slade は主張した。

鉱業部門についての Smith の結果を詳しく見ると、1920 年までは実際とよく整合するが、その後は異なった動きをしていたことがわかる。もし不変のパラメータを持つ二次方程式が、Slade が検討した 1870 年から 1978 年の全期間にわたり適用されるなら、このようなことは起こらなかったはずである。Berck(1995) と Pindyck(1999) は、鉱物価格と時間の長期関係が変化するという、さらなる証拠を提供した。

このような関係を実証的に推定する取組みは、動く標的を狙っているようなもので、簡単にはいかないことが多い。どのような取組みでも、とくにそれが長期間をカバーするならば、いくつかの異なった真の関係を反映する曲線を合成したものを推定することになる。これは、現在の長期の関係を近似する推定が行われているとの保証がないなかで、異なる期間の関連性を推定することになる。

第二に、関連した批判が最近の時系列分析から出てきており、その手法の多くは Slade が原論文を書いた 1980 年代初頭では利用できなかったものである。彼女の結果における鉱物価格の長期トレンドに関する仮説を強く支持する統計学上の特性は、鉱物価格がいわゆる定常トレンド（stationary trend）であることに依存する。これは、ストライキや戦争のような短期的なショックによって鉱産物の価格が乱されることがあっても、もとの長期トレンドに価格が回帰することを意味する。もしこれが当てはまらないなら、価格は確率的トレンド（stochastic trend）に従い、パラメータ（$\alpha_0, \alpha_1, \alpha_2$）は短期の擾乱に応じて検討した期間内で変化する。

Slade(1988) を含め、多くの研究者(Agbeyegbe 1993; Berck and Roberts 1996; Ahrens and Sharma 1997; Howie 2001) がその後、彼女が扱った鉱産物の価格系列が、定常トレンドであるかどうかを検証した。結果はさまざまであり、ある場合にはトレンドが定常で、他の場合には確率的であることが示された。

第三に、Slade の分析は 1978 年で終わっている。Krautkraemer(1998) によって詳細に示されたように、多くのエネルギーやその他の鉱産物の価格が 1980 年代と 1990 年代に下落した。このことは、もしこの研究が現時点で行われるなら、彼女の結果は非常に異なっていたかもしれない。

Howie(2001) が、最近、Slade のデータを更新しているので、その結果を本書の付録に掲載した。彼は同じ回帰手法（より新しい時系列分析手法に加えて）と鉱産物を用い、彼女の方程式を推定し直した。線形と二次の関係に加えて、価格が長期的には逆の傾向になる可能性も配慮した。その結果、線形トレンドは鉛と石油の価格に最もよく適合し、逆トレンドはアルミニウム・銅・亜鉛の価格、そして二次トレンドはニッケル価格のみであった[10]。さらに、瀝青炭、鉄鉱石、銑鉄、天然ガス、銀、錫の価格トレンドについては、定常というよりむしろ確率的かもしれないと結論づけられ、これらの産品の推定結果に疑問を呈している。

第四に、Slade は、長期の価格トレンドを分析している他の多くの研究者と同様に、産品の価格がその限界生産費用にユーザーコストを加えた額に等しいと仮定している。長期の生産費用は当然、鉱産物の長期の利用可能性の評価に関連しているので、暗黙のうちに、彼女やその他の研究者は、価格に反映される限界生産費用は、短期でなく長期で優勢であることを仮定している。

短期（企業が生産能力を変更できないほどの短い期間）において、経済が好況で鉱産物に対する強い需要があるとき、限界生産費用はかなり大きく長期のレベルを超えることがある。逆に、経済が不況になり鉱業が過剰能力に苦しんでいるとき、限界生産費用は長期のレベル以下に低下する可能性が高い。Sladeらは、このような長期の価値からの生産費用と価格の短期的な乖離は、数十年間にわたる鉱物価格を調査すると、多かれ少なかれ相殺されると推測している。

価格が競争市場における需要と供給の相互作用の結果でないときには、新しい潜在的な問題が発生する。すなわち、生産者が個別にあるいは共同で市場支配力を行使して、市場価格をコントロールするとき、この問題が起こり得る。それは戦争などの非常時に、政府が鉱産物に対して価格統制を強制するときも同じである。図 4-3. は銅について示しているが、このような市場のゆがみは過去にかなりの頻度で起こっている。このような期間では、価格は利用可能性に対する偏った指標となる。カルテルなどの共同行為が人為的に高水準の価格を維持するため稀少性を過大評価したり、価格統制によって価格が市場精算レベルに届くのを妨げられることで、稀少性は過小評価される。

Slade(1982, n.14) は、石油輸出国機構（OPEC）のカルテルと、それが 1973 年以降にもたらしたエネルギー価格の上昇が、その後に起こった鉱物価格の混乱を説明できると考えた。しかし、調査した鉱産物すべてについて推定曲線が、1973 年以前に最小点に到達していることを見て、彼女はこの可能性を放棄している。

OPEC が 1973 年に石油の価格をコントロールしたことは一般的によく知られているが、前世紀に、銅やニッケル、錫、その他多数の鉱産物の価格をコントロールしようとする試みが頻繁に行われたことはあまり知られていない。これらの統制の大部分は数年間しか持続せず、価格に対する景気循環の短期的なインパクトと同じように、価格に対する市場支配力の効果は、長期的には相殺されているようである[11]。たとえば、1970 年代の石油価格の急激な上昇は、新しい供給源と需要の減退をもたらし、1980 年代には石油の実質価格が下落した。同様に、国際錫協定（International Tin Agreement, ITA）が、20 年間維持することに成功した人為的な高価格は、結局のところ、1985 年に劇的な崩壊で終

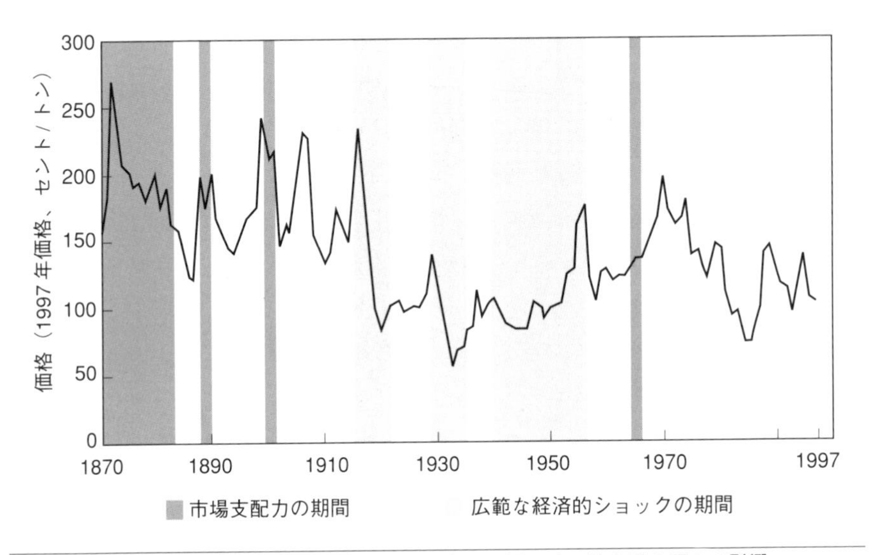

図 4-3.　銅の実質価格におけるカルテル、戦争、主な不況、その他市場の歪みの影響（1870 ～ 1997 年）

出典：Herfindahl (1959)および Mikesell (1979)を Howie (2001)にて更新

わった。その後の 5 年から 10 年間、錫の価格は、高値が早期に促進させた生産能力の増加と需要の減退によって激しく押し下げられた(Rogers 1992)。

残念ながら入手可能な文献では、市場支配力（もしあったとして）がどのように商品価格の長期トレンドに影響するのかを、体系的に調べた研究はほとんどない。明らかになっていることは前世紀の間に、大量の商品を輸送する費用が下がり、鉱産物の需要が増大したことも相俟って、多くの非燃料鉱物市場がより競争的になってきたことである。これらは、長期の価格が稀少性の傾向を過小評価する結果をまねいたかもしれない。1970 年代初頭以降の OPEC による石油あるいはその他のエネルギー価格を取り巻く市場については、正反対のことが当てはまる。

過去に、Herfindahl(1959) は銅の価格と費用に関する興味深い研究により、時には市場支配力の影響が重要になることがわかった。彼は 1870 年から 1957 年の期間を慎重に検討して、この期間中に、共同行為、戦争あるいは不況によって銅価格が大きくゆがめられた年を明らかにした（図 4-3. を参照）。さらに調査期間を、第一次世界大戦の以前と以降に区別した。なぜなら、その時期に技術に画期的な変化が起こり、実質価格が以前の 37 %も低下したからである。本書の目的でとくに興味ある点は、PPI で調整された銅価格が 1870 ～ 1918 年の間で価格が異常にゆがめられた時期を除くと年平均で 5 %下落し、異常な期間を含んだ場合には 4 %になった。後半の 1918 ～ 1957 年の期間ではこの差はさらに大きくなる。すなわち、実質価格は異常な期間が除外されたとき年 0.2 %で増加し、異常期間を入れると 0.6 %となる。

Herfindahl の研究は、少なくとも 1918 年以降の銅に関して、市場支配力の低下は非燃料鉱産物の稀少性の価格基準を下方へ偏らせてきたというこれまでの前提に疑問を投げかけている。鉱産物の実質価格における長期のトレンドには暴落（すなわち急激な下方移動）が含まれるかもしれず、それによって鉱産物価格に関する研究（とくに計量経済学の分野）でしばしば仮定される、滑らかで連続的なトレンドをたどらない可能性が高くなる。最後に、Herfindahl の研究は、価格を市場清算値から乖離する原因となる市場支配力などの要因によるひずみを除去する体系的な取組みが可能なことを示している。

第五に Slade は、鉱産物の名目価格をデフレートするために生産者物価指数（PPI）を使用した。この指数は広く使用されているが、インフレーションの影響を排除する必要があるという以外に正当化される点は少ない。もちろんそのほかにも使用できるデフレータがある。これまで見てきたように、Barnett and Morse(1963) は、彼らの目的に最も適している非採取財の価格をデフレータに用いた。Nordhaus(1974) は労働費用を使い、Krautkraemer(1998) は消費者物価指数（CPI）を用いた。もう一つの候補は国内総生産（GDP）デフレータである。

概念的には、使用されるデフレータは、どのように資源不足を測定したいかに依存すべきである。これは通常、財の組合せに対する犠牲を考慮することで行われる。それは社会が、追加の銅 1 トンあるいは石油 1 バーレルを得るために諦めなければならない犠牲のことである。望ましい犠牲が、経済を構成するすべての財とサービス（消費者と生産者の両者が利用するものを含む）を代表するものであるなら、GDP デフレータが最も適切である。消費者の財とサービ

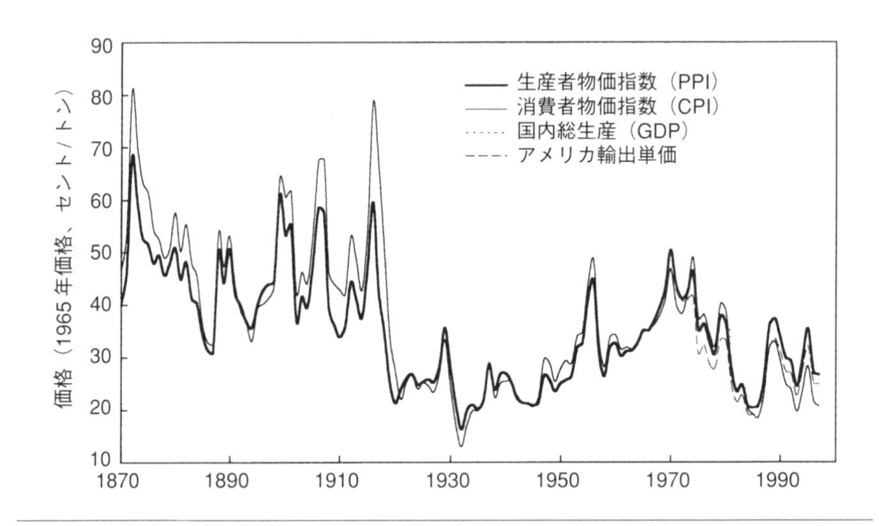

図 4-4. 生産者物価指数（PPI）、消費者物価指数（CPI）、国内総生産デフレータ（GDP デフレータ）およびアメリカの輸出単価指数でデフレートされた銅の実質価格（1870 ～ 1997 年）

出典：銅価格および PPI デフレータは、Potter and Christy(1962)、Manthy(1978)および Howie (2001)による。消費者物価指数デフレータは全都市の消費者の消費者物価指数である。これは "Historical Statistics of the United States to 1970" から得られ、1870 年から 1912 年についてはウェブサイト http://www.lib.umich.edu/libhome/ Documents.center/historic cpi.html から入手可能である。1913 年から 1997 年については U.S. Bureau of Labor Statistics（米国労働統計局）のウェブサイト http://stats.bls.gov/ cpihome.htm から入手可能である。国内総生産デフレータは NIPA-GDP インプリシットプライス・デフレータであり、これは "Survey of Current Business, August 2000" から得られた。1929 年から 1997 年について U.S. Bureau of Economic Analysis のウェブサイト http:// www.bea.doc.gov/bea/dn/st-tabs.htm から入手可能である。アメリカの輸出単価（U.S. Export Unit Values）指数は、アメリカが輸出する財の物価変動を示す。これは 1965 年から 1997 年について "International Monetary Fund（monthly）" から得られる。

スの代表が、望ましい犠牲を最も良く測定する場合には、CPI を用いるべきである。

理論的には、これら二つの財の組合せのどちらかが、生産財の組合せよりも適切に思われる。それでも Slade ほか多くの人々が用いる PPI は、それが長期間にわたって利用可能であるという長所を持っている。さらに、もし GDP デフレータか CPI がその代わりに用いられても、実質鉱物価格の長期トレンドが著しく変わることはめったにない（図 4-4. を参照）[12]。

PPI および一般に使用される他のデフレータのさらに重大な欠点は、生産物の

Box 4-1. 通常のデフレータはインフレーションを過大評価する

経済学者らは、ごく最近、通常のデフレータがインフレーションを過大評価することを認識してきている。たとえばHamilton(2001) は、間接的な推定手法を用いて、CPI が 1974 年から 1981 年の間ではおよそ年率 3 %、および 1981 年から 1991 年の間でおよそ年率 1 %でインフレーションを過大評価したことを示唆した。

数年前に、議会の諮問委員会は、アメリカの CPI がインフレーションを年間 1.1 %で過大評価していると推定した(U.S. Senate, Committee on Finance 1966; Boskin and others 1998; Moulton and Moses 1997)。このバイアスの大部分（0.6 %）は、新製品の導入と既存の財の品質改善によるものである。CPI は多くの場合それを無視している。残りは消費者物価指数が、物価変動に応じた消費者代替（0.4 %）、およびディスカウント・ストアと小売業での改善（0.1 %）において適切に勘定できていないことを反映している。

さらに最近では、National Research Council 後援の研究(Schultze and Mackie 2002) が、議会の諮問委員会で引用された特定の数値に関していくつかの疑問を投げかけ、CPI の測定に関する多くの概念的・実証的な問題を検討した。いずれの場合でも、これらの正確なパーセンテージはおそらく PPI に当てはまらない。そうではあっても、PPI もインフレーション率を同じく過大評価していることは疑いない。

品質改良や新製品の導入、および消費者が価格上昇した産品を代替する機会などを、十分に説明できていないことから、結果としてインフレーションを過大評価する傾向が生ずることである（Box 4-1. を参照）。もし報告されている鉱産物価格に同じバイアスがかかるならば、本書の目的にとって問題とはならないが、これは明らかに違う。品質の変化および新製品への適切な調節、あるいは利用者代替によって、特定の品位の原油あるいはその他の鉱産物の価格が大きく変わることはないであろう。その結果、実質の鉱産物価格の長期系列は、真の傾向を過小評価する(Svedberg and Tilton 2003)。

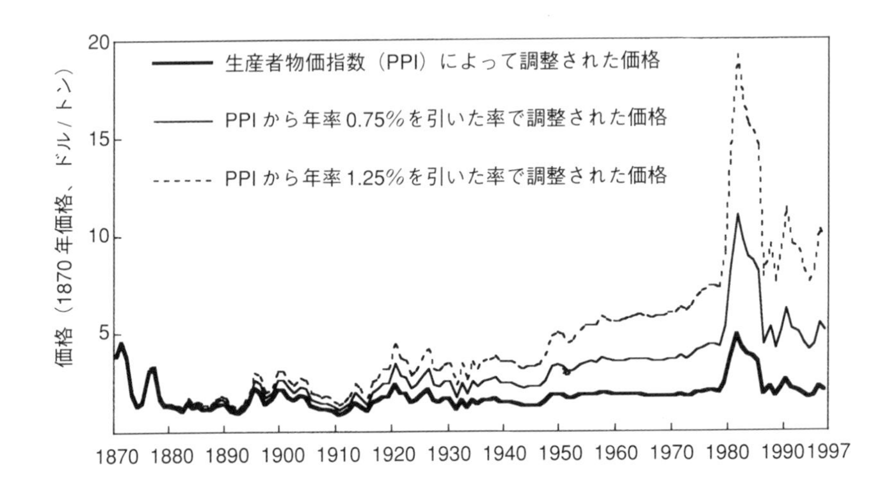

図4-5. 生産者物価指数（PPI）、PPIから年率0.75％を引いた率、PPIから年率1.25％を引いた率で調整した石油の実質価格（1870～1997年）

出典：PPIで調整された石油価格について：Potter and Christy(1962)、Manthy(1978)、Slade (1982)をHowie(2001)によって更新された値

図4-5.はこのバイアスの潜在的な大きさを示したものである。この図は、1870～1998年の期間における原油の実質価格を示し、1番目にPPIでデフレートした値、次にPPIから年率0.75％を引いた率、最後にPPIから年率1.25％を引いた率でデフレートされている。インフレーションが適切に調整された石油価格は、おそらく最後の二つの曲線に挟まれた間のどこかに位置するであろう。この考え方に基づくと、実質の原油価格の長期トレンドは明らかに上昇していたことになるが、PPIでデフレートしたものは1870～2000年の期間でほとんど変化していない。その他の鉱産物価格についても同様に調整すると、長期トレンドに類似した変化が見られ、前世紀の鉱産物の実質価格における安定性を検討した多くの研究者だけでなく、Barnett and Morseの結論についても疑問がもたれる。

Sladeモデルに対する上記の懸念はすべて妥当な問題提起である。はっきりしていないところは、とくに問題が組み合わさったときに、鉱産物の長期の利用可能性についての彼女の結果と意味に、どのような影響を与えるかである。本章の終わりにこの問題を再び考察する。

ユーザーコスト

資源の利用可能性における長期傾向の第三の経済的基準は、ユーザーコストである。第2章と第3章で指摘したように、ユーザーコストとは、現在の生産量を1単位増加させたことによって、鉱山が失う将来利益の現在価値である。さらに、現在の市場価格が採掘費用にユーザーコストを加えた額とちょうど一致するような鉱山が、限界的な生産者になる点は特筆される。限界よりも下の鉱山は、とくに良質な鉱石などの条件から、比較してより低い採掘費用ですむ。したがって、現在の1単位の生産量拡大は、限界的な生産者に比べると将来大きな利益の損失を被ることになるが、この損失は、ユーザーコストと、埋蔵量の質に関連したリカードレントの両方を反映したものである（図3-2.参照）。

Hotellingや Slade、その他の研究者は、ユーザーコストがある固定された率で時間とともに上昇するであろうとの理論をもとに予想しているが、Hotellingが明確に述べているように、この結果はかなりの制約を受けた条件下でのみ適用できる（第2章参照）。たとえば、1種類の同質の鉱石（したがって品位などの特徴に差がない）と技術変化がないことを仮定している。この仮定のいずれかを緩和するだけで、ユーザーコストの長期的な低下を含む、異なった傾向をたどることになる。たとえば、安価な太陽光発電の開発が、石炭と天然ガスの生産を非経済的なものにしたとすると、今日生産を追加することによる未来の利益の損失が起こらないので、石炭と天然ガスの生産に関連するユーザーコストはゼロまで下落することになるだろう。

したがって、ユーザーコストのトレンドを測る必要がある。限界的な鉱山が、今日1単位の生産を増加させることで受ける、将来利益の損失の、予想される正味現在価値（NPV（Net Present Value））を公表しない（またおそらく自らも認識できていないであろう）でいることは驚くべきことではない。これにはユーザーコストの間接的な基準が必要であることを意味している。資源市場が競争的であることと、その他特定の条件を仮定すると、ユーザーコストは、限界的な鉱山が所有し開発している埋蔵量の原位置価値（採掘前に地中にある価値）を反映する。言い換えると、これは適切な条件下で、このような埋蔵量を発見する費用に近い。このように、鉱産物のユーザーコストの長期傾向を評価するには、三つの間接的な方法が存在する。すなわち、市場価格と限界生産費用の差、限界的な埋蔵量の原位置価値、および新しい限界的な埋蔵量を発見するための期待探査費用である。

これらの基準のどれもが、データ不足やその他の問題のために長期にわたる評価をすることは容易ではない。その結果、ユーザーコストに関して発表された研究は、鉱物価格についての研究よりもはるかに少なく、実施された研究は異なった結論を導いている。そのいくつか(Fisher 1981; Stollery 1983; Sadorsky 1991）は、ユーザーコストが増加している証拠を見い出し、Halvorsen and Smith(1991) は、どのような重要なトレンドも見い出せなかった。その他 (Farrow 1985; Pesaran 1990; Lasserre and Ouellette 1991) では、ユーザーコストが低下していると結論づけている。

問題がこのように混乱した状態になる一つの理由は、研究の差にある。異なった手法を用い、異なった鉱産物を調査し、異なった時期を扱っているからである。

しかしながら、より重要なことは、おそらくユーザーコストは魅力的で知的な概念ではあるが、現実的には、あまりあるいは全く重要視されていないかもしれないという事実である。Kay and Mirrlees(1975) が指摘したように、長期間（50 ～ 100 年）十分に供給できる豊富な鉱産物については、現在まで割引いて考えると、ユーザーコストは無視できる。これは多くの鉱産物に関しても当てはまる。Cairns(1998, 20) は、インコ社のニッケル資源のユーザーコストを推定する試み(Cairns 1982) をもとにして部分的に同じ結論に到達した。同様に、Adelman(1990) は石油についてユーザーコストが無視できることを見い出している[13]。

鉱山経営者の行動も、ユーザーコストが多くの場合、些細であることを示唆している。適切に割引かれた将来の利益の増加が、現在の利益損失の穴埋め以上になるという理由で、鉱山経営者が計画的に利益のあがる生産を縮小した実例を見い出すことは、不可能でないにしても難しい。実際には、ユーザーコストの概念を把握している鉱山経営者を見つけることさえまれである[14]。

実世界ではユーザーコストは、新技術などの予想できない進展によってもたらされる不確実性によって、ほとんどあるいは完全に無関係なものになっているかもしれない。たとえば、Radetzki(1992) は、20 世紀の初頭から 1950 年代までを通して、鉄鉱床の開発によってスウェーデンが多大な利益を得た例を指摘する。しかしながら、これらの鉱山の競争力は、おもにヨーロッパの鉄鋼業界との親密な関係に基づいており、1960 年代と 1970 年代の大量海上輸送の技術革新によって弱体化した。もしスウェーデンが将来により大きな（割引された）利益を実現することを望み、これらの鉱床を温存していたならば、おそらく利益を得られていなかったであろう。20 世紀前半におけるスウェーデンの鉄鉱石を採掘する真のユーザーコストは明らかにゼロであった。

新技術などの発展によって、かつて存在していた資源の価値が失われた例を、ほかにも見つけることは難しいことではない。第 2 章で述べた Jevons の懸念にもかかわらず、イギリスは石炭を使い果たしていない。しかし、他の地域でのはるかに安価な石炭鉱床の発見と開発、そして代替エネルギー源の開発の結果として、イギリスの石炭鉱床は大部分が価値をなくした。20 世紀の初めのドイツにおける人工肥料の発明は、チリで繁栄していたグアノ産業を破壊した。健康と安全への懸念がアスベストと水銀の商品需要を壊滅させたとき、多くの潜在的なアスベスト鉱山と水銀鉱山は、以前には持っていた価値を失った。

これまでの議論が示唆しているように、ユーザーコストが目立たないのは、次のような意味があるからである。第一に、ユーザーコストのトレンドに関する上記の矛盾する結果は、驚くに値しない。なぜなら、ユーザーコストのトレンドが、上昇、下降もしくは停滞しているかどうかは、おそらくほかに存在するより大きな原因に押しつぶされているからである。次に、地中の既知の鉱物資源は、主としてリカードレントによって価値を持ち、それは開発されている少なくともいくつかの鉱床より低費用で鉱産物を生産できる能力によって生じる。限界的な鉱床にはリカードレントがなく、価値がたいへん小さい。第三に、鉱山会社などの関係者は、未開発ではあるが潜在的に有益な鉱物鉱床の開発を先延ばしにしたり、「凍結」する動機は持ち合わせていない。

要　約

第 3 章で指摘したように、検討した三つの経済的基準は、稀少性が持つ異なった側面あるいは原因を反映している。ユーザーコストは地中の資源の利用可能性に注目し、限界費用は生産過程と利用可能性に対する影響に焦点が当てられている。価格は、原位置と生産の双方における利用可能性の動向を合わせた影響を反映している。

生産費用に関する利用可能性の形跡は、新技術による費用削減効果が、開発にともなう資源の品質低下による費用増大の効果を相殺する以上に大きかったことを示す。その結果、少なくとも物理的な投入に関して測定したとき、鉱産物についての生産費用は過去 1 世紀の間に相当に低下した。しかしながら、この低下のいくぶんかは、投入物の価格の変化、とくに前世紀おける実質賃金の上昇を考慮した研究がされていないことを単に反映しているだけかもしれない。

ユーザーコストおよび鉱産物価格の歴史的な傾向はさらに明確ではない。ユーザーコストの場合には、長期間の信頼できるデータを得ることは非常に難しい。入手できる数少ない研究は異なった結論に到達しており、それはおそらくユーザーコストが実際上はほとんど目立たない存在だからである。

データの信頼性は鉱物価格については問題とならないが、トレンドの解釈には問題が残る。ある研究では、長期価格を定常とみなし、稀少性の伸展は問題ではないと結論している。他の研究では、トレンドが時間とともに U 字型の曲線を描くことを見い出し、稀少性が上昇していると結論している。これには、適切な価格デフレータとそれによって起こる不確実性を識別し、未知の周期で変動するトレンドを評価する課題を加えなければならない。

このような困難にもかかわらず、入手可能な証拠から二つの一般的な結論を導くことができる。第一に、鉱産物の需要が爆発的に増大し、世界は、過去 1 世紀の間に、歴史的にそれ以前に使ったすべての量より多くの鉱物資源を消費したが、鉱物資源の枯渇は稀少性の重大な問題を引き起こさなかった。今日のほとんどの鉱産物の消費量は、過去のどの時期よりも大きい。鉱物価格の長期トレンドは混乱しているものの、価格が鉱物消費量の削減を世界に強いることはなかった。Krautkraemer(1998, 2091) は次のように指摘している：

> 非再生資源の稀少性の経済指標は、非再生資源がよりいっそう稀少になっているという証拠を示していない。その代わりに、非再生資源の供給の他の要因、とくに新しい鉱床の発見、採掘技術の進歩、代替資源の開発が、枯渇してゆく既存の鉱床がもたらす稀少性の影響を緩和したことを示唆している。

要するに、過去130年間は、鉱物資源の利用可能性の観点から非常におだやかな動きであった。

第二に、歴史は、また、鉱物価格の長期トレンド、そして一般には鉱産物の利用可能性が、固定されていないことを強く示唆している。むしろ、それは新技術が導入される速度、世界経済の成長速度、および鉱物の需給に内在する決定要素の変化に応じて、刻々と変わっている。これは、過去に優勢であった長期トレンドを識別する作業を複雑にするだけでなく、将来を予想するためにそれらのトレンドを用いることに対する注意を喚起している。過去におけるトレンドは変化してきているので、おそらく今後も変化するであろう。

過去から学ぶ教訓は、Neumayer(2000,309) によって以下のようにうまく要約されている：

> これまでのところ、悲観論者の予測は間違っていた。しかしながら、一つ明らかなことがある。すなわち、心配する理由は全くないと結論づけることは、悲観論者が犯したのと同じ誤りを犯すことと同じである。それは過去のトレンドを延長するという誤りである。将来は本質的に不確かなものである。そして将来が何をもたらすかを確実に知らないことは、人間の災い（あるいはお望みならば救済）である。状況が変化しているときには、過去は将来への悪い指針になり得る。人騒がせな人が定期的に誤って「狼が来た！」と叫んできたことは、森が安全であるということにはならない。

注　釈

1. たとえば、U.S. Bureau of Mines(1987) および Torries(1988, 1995) を参照。
2. 例外として、Hall and Hall(1984) を参照。
3. 1978 年にアメリカの卸売物価指数は、生産者物価指数に変更された。混乱を避けるために、本書では両方ともに現在の名称である、生産者物価指数、もしくはその頭文字 PPI を使った。
4. Potter and Christy(1962) は、4 種のエネルギー産物（石油、天然ガス、歴青炭、無煙炭）、14 種の金属（鉄鉱石、銑鉄、鋼、フェロアロイ、フェロマンガン、ニッケル、タングステン、銅、鉛、亜鉛、ボーキサイト、アルミニウム、錫、マグネシウム）、そして 14 種の非金属（規格寸法の切石、砕石、ポルトランドセメント、石灰石、砂、砂利、粘土、建設用粘土製品、レンガ、石膏、リン灰石、炭酸カリウム、硫黄、ホタル石）の価格データを提供している。
5. 上記のように、Barnett and Morse(1963) は、物理的な労働と資本に関する生産費用を測定した。これには、投入物価格の変動の影響、とくに前世紀における実質賃金の大幅な上昇を無視していることになる。これは生産費用の長期トレンドと、Barnett and Morse が観測した実質の鉱物価格の長期トレンドとの差を説明しているかもしれない。
6. 攪乱項により、ある年 t における価格がそのトレンドの値から外れることがある。
7. 一つ目は Brown and Durbin の CUSUM 検定で、二つ目が Quandt の対数尤度比（ゆうどひ）である。
8. この可能性は Pindyck(1978) および Heal(1981) によっても指摘されている。
9. 一次方程式の結果と二次方程式の結果を比較すると、後者が鉱物価格と時間の真の関係を正確に反映することを示唆している。第一に、すでに述べたように、二次方程式における時間変数の二乗の推定パラメータのうち一つを除いたすべてが、確率 90 %において正である。価格と時間の真の関係が線形であるなら、このパラメータはゼロになるだろう。さらに、推定された線形関係のすべてが、対象期間の終わりに近づくほど鉱物価格を大幅に過小評価するが、二次関係ではそうはならない。興味深いのは、一次方程式の結果のほうが、鉱物資源の稀少性の増加が表れてきているという結論を、それほど支持しないことである。時間変数の 11 の推定パラメータのうち七つだけが正であり、そのなかの四つだけが確率 90 %以上であった。
10. これらの結果は、Slade が採用した計量経済学の手法を、Howie が用いたときに当てはまった。Howie が最近の時系列分析手法を用いた場合、アルミニウムの価格系列は逆トレンドよりも線形トレンドによって最も適切に表現される。それに加えて、三つのモデル（一次、二次、逆）すべてについて、鉛と亜鉛の方程式における時間変数の推定係数は、統計学的に有意でなく、鉛と亜鉛の価格が時間とともに上方へも下方へも動かない線形トレンドをたどる可能性を示す。

11. 鉱物とエネルギー産業におけるカルテルの研究は、Eckbo(1976) と Schmitz(1995) を参照。
12. 前述の Nordhaus(1974) の議論から、労働費用を用いると大きな差が生じることがわかっている。労働費用は、ほとんどの産品やサービスの費用よりも大幅に上昇したので、労働費用による価格調整は明らかに実質鉱物価格を下方トレンドにしてしまう。労働費用によるデフレーションは、追加的な 1 単位の鉱産物の価格で、どれくらい労働（レジャー）を買うことができるかによって犠牲を測るときには適切である。しかし、上記のように、労働の質の改善が、時間とともに労働費用が上昇する一因として隠れているので、計測は困難になっている。それに加えて、機会費用を測るために適切な財の組合せには、1 種類の財、すなわち労働しか含まれていないことも意味する。
13. しかし、彼はこれが変化するかもしれないと指摘する。OPEC の共同行為がなければ、石油の価格はより低く、生産はより増加すると論じる。これが新しい埋蔵量を開発する費用を上昇させると、ユーザーコストも同様に増加するであろう。
14. しかし、Cairns(1998) が指摘するように、最適な鉱山の生産能力は自動的に埋蔵量の価値を最適化するので、鉱山経営者はユーザーコストに気をかけないかもしれない。経営者は生産能力に対する投資の選択によって、埋蔵量の現在価値を決定する。そのため産出量は生産能力によって決定される。

参考文献

Adelman, M.A. 1990. Mineral Depletion, with Special Reference to Petroleum. *Review of Economics and Statistics* 72(1): 1-10. This article is reprinted in *The Economics of Petroleum Supply*: *Papers by M.A. Adelman 1962-1993*, edited by M.A. Adelman (1993). Cambridge, MA: MIT Press, ch. 11.

Agbeyegbe, T.D. 1993. The Stochastic Behavior of Mineral-Commodity Prices. In *Models*, *Methods*, *and Applications in Econometrics*: *Essays in Honor of A.R. Bergstrom*, edited by P.C.B. Phillips. Oxford: Blackwell Science, 339-352.

Ahrens, W.A., and V.R. Sharma. 1997. Trends in Natural Resource Commodity Prices: Deterministic or Stochastic? *Journal of Environmental Economics and*

Management 33: 59-77.

Barnett, H.J. 1979. Scarcity and Growth Revisited. In *Scarcity and Growth Reconsidered*, edited by V.K Smith. Baltimore, MD: Johns Hopkins University Press for Resources for the Future, 163-217.

Barnett, H.J., and C. Morse. 1963. *Scarcity and Growth*. Baltimore, MD: Johns Hopkins University Press for Resources for the Future.

Berck, P. 1995. Empirical Consequences of the Hotelling Principle. In *Handbook of Environmental Economics*, edited by D. Bromley. Oxford: Basil Blackwell, 202-221.

Berck, P., and M. Roberts. 1996. Natural Resource Prices: Will They Ever Turn Up? *Journal of Environmental Economics and Management* 31: 65-78.

Boskin, M.J., and others. 1998. Consumer Prices, the Consumer Price Index, and the Cost of Living. *Journal of Economic Perspectives* 12(1): 3-26.

Cairns, R.D. 1982. The Measurement of Resource Rents: An Application to Canadian Nickel. *Resources Policy* 8(2): 109-116.

——. 1998. Are Mineral Deposits Valuable? A Reconciliation of Theory and Practice. *Resources Policy* 24(1): 19-24.

Cleveland, C.J. 1991. Natural Resources Scarcity and Economic Growth Revisited: Economic and Biophysical Perspectives. In *Ecological Economics: The Science and Management of Sustainability*, edited by R. Costanza. New York: Columbia University Press, 289-317.

Eckbo, P.L. 1976. *The Future of World Oil*. Cambridge, MA: Ballinger.

Farrow, S. 1985. Testing the Efficiency of Extraction from a Stock Resource. *Journal of Political Economy* 93(3): 452-487.

Fisher, A.C. 1981. *Resource and Environmental Economics*. Cambridge: Cambridge University Press.

Hall, D.C., and J.V. Hall. 1984. Concepts and Measures of Natural Resource Scarcity with a Summary of Recent Trends. *Journal of Environmental Economics and Management* 11(4): 363-379.

Halvorsen, R., and T.R. Smith. 1991. A Test of the Theory of Exhaustible Resources. *Quarterly Journal of Economics* 106(1): 123-140.

Hamilton, B.W. 2001. Using Engel's Law to Estimate CPI Bias. *American Economic Review* 91(3): 619-630.

Heal, G. 1981. Scarcity, Efficiency and Disequilibrium in Resource Markets. *Scandinavian Journal of Economics* 83(2): 334-351.

Herfindahl, O.C. 1959. *Copper Costs and Prices*. Baltimore, MD: Johns Hopkins University Press for Resources for the Future.

Howie, P. 2001. *Long-Run Price Behavior of Nonrenewable Resources Using Time-Series Models*. Unpublished manuscript, Colorado School of Mines. Golden, CO.

International Monetary Fund (monthly). *International Financial Statistics*. Washington, DC: International Monetary Fund.

Johnson, M.H., and others. 1980. Natural Resource Scarcity: Empirical Evidence and Public Policy. *Journal of Environmental Economics and Management* 7(4): 256-271.

Kay, J.A., and J.A. Mirrlees. 1975. On Comparing Monopoly and Competition in Exhaustible Resource Exploitation. In *The Economics of Natural Resource Depletion*, edited by D.W. Pearce. London: Macmillan, 140-176.

Kendrick, J. W. 1961. *Productivity Trends in the United States Economy*. Princeton, NJ: Princeton University Press for the National Bureau of Economic Research.

Krautkraemer, J.A. 1998. Nonrenewable Resource Scarcity. *Journal of Economic Literature* 36: 2065-2107.

Lasserre, P., and P. Ouellette. 1991. The Measurement of Productivity and Scarcity Rents: The Case of Asbestos in Canada. *Journal of Econometrics* 48(3): 287-312.

Manthy, R.S. 1978. *Natural Resource Commodities: A Century of Statistics*. Baltimore, MD: Johns Hopkins University Press for Resources for the Future.

Mikesell, R.F. 1979. *The World Copper Industry*. Baltimore, MD: Johns Hopkins University Press for Resources for the Future.

Moulton, B.R., and K.E. Moses. 1997. Addressing the Quality Change Issue in the Consumer Price Index. *Brookings Papers on Economic Activity* (1): 304-366.

Nappi, C. 1988. Canada: An Expanding Industry. In *The World Aluminum Industry in a Changing Energy Era*, edited by M.J. Peck. Washington, DC: Resources for the Future, 175-221.

Neumayer, E. 2000. Scarce or Abundant? The Economics of Natural Resource Availability. *Journal of Economic Surveys* 14(3): 307-335.

Nordhaus, W.D. 1974. Resources as a Constraint on Growth. *American Economic Review*. 64(2): 22-26.

Pesaran, M.H. 1990. An Econometric Analysis of Exploration and Extraction of Oil in the U.K. Continental Shelf. *Economic Journal* 100(401): 367-390.

Pindyck, R.S. 1978. The Optimal Exploration and Production of Nonrenewable Resources. *Journal of Political Economy* 86(5): 841-861.

——. 1999. The Long-Run Evolution of Energy Prices. *Energy Journal* 20(2): 1-27.

Potter, N., and F.T. Christy Jr. 1962. *Trends in Natural Resource Commodities: Statistics of Prices, Output, Consumption, Foreign Trade, and Employment in the United States, 1870-1957.* Baltimore, MD: Johns Hopkins University Press for Resources for the Future.

Radetzki, M. 1992. Economic Development and the Timing of Mineral Exploitation. In *Mineral Wealth and Economic Development*, edited by J .E. Tilton. Washington, DC: Resources for the Future, 39-57.

Rogers, C.D. 1992. Tin. In *Competitiveness of Metals: The Impact of Public Policy*, by M.J. Peck and others. London: Mining Journal Books, 242-265.

Sadorsky, P.A. 1991. Measuring Resource Scarcity in Non-Renewable Resources with an Application to Oil and Natural Gas in Alberta. *Applied Economics* 23(5): 975-84.

Schmitz, C. 1995. *Big Business in Mining and Petroleum*. Brookfield, VT: Ashgate.

Schultze, C., and C. Mackie (eds.). 2002. *At What Price? Conceptualizing and Measuring Cost-or-Living and Price Indexes*. Washington, DC: National Academy Press.

Slade, M.E. 1982. Trends in Natural-Resource Commodity Prices: An Analysis of the Time Domain. *Journal of Environmental Economics and Management* 9: 122-137.

——. 1988. Grade Selection under Uncertainty: Least Cost Last and Other Anomalies. *Journal of Environmental Economics and Management* 15: 189-205.

——. 1992. *Do Markets Underprice Natural-Resource Commodities?* Working Paper No.962. Washington, DC: The World Bank.

Smith, Y.K. 1979. Natural Resource Scarcity: A Statistical Analysis. *Review of Economics and Statistics* 61: 423-427.

Stollery, K.R. 1983. Mineral Depletion with Cost as the Extraction Limit: A Model Applied to the Behavior of Prices in the Nickel Industry. *Journal of Environmental Economics and Management* 10(2): 151-165.

Svedberg, P., and J.E. Tilton. 2003. *The Real, Real Price of Nonrenewable Resources: Copper 1870-2000*. IIES Seminar Paper 723. Stockholm University.

Torries, T.F. 1988. Competitive Cost Analysis in the Mineral Industries. *Resources Policy* 14(3): 193-204.

——. 1995. Comparative Costs of Nickel Sulphides and Laterites. *Resources Policy* 21(3): 179-187.

U.S. Bureau of Mines. 1987. *An Appraisal of Minerals Availability for 34 Commodities*. Washington, DC: Government Printing Office.

U.S. Senate, Committee on Finance. 1996. *Final Report of the Advisory Commission to Study the Consumer Price Index*. Washington, DC: Government Printing Office.

Uri, N.D., and R. Boyd. 1995. Scarcity and Growth Revisited. *Environment and Planning A* 27: 1815-1832.

第5章
不確実な未来

前章における資源の利用可能性の歴史的傾向の検討から得られる最も重要な成果の一つは、価格、採掘費用、ユーザーコストの推定にかかわらず、過去の傾向の外挿が信頼できる予測を提供するまでには至らないということである[1]。もちろん、この結論は、それほど驚くことではない。このような予測の妥当性は、それらが相互に作用する複雑なメカニズムとともに、過去を支配する重要な基礎要因のトレンドが、予測期間内で変化しないという条件のもとに求められている。あるいは、変化があるときには、最後の効果がゼロになるように互いが完全に相殺されていなくてはならない。時にこれらの条件の一つが満たされることがあり、その予測が非常に正確になることがある。しかしこれは将来を見極める真の力ではなく、たんに運が良かっただけである（Box 5-1. を参照）。

それではわれわれはどのように進むべきか？　将来について何か一言でも言うことができるのか？　過去のトレンドの外挿より有用な洞察をもたらすもう一つアプローチは、長期的な鉱物需給の重要な決定要素を分析することである。われわれが本章で追求しようとするのは、このアプローチである。本章では、次の数十年の供給不足の見込みを概観することから始めるが、焦点は長期間にあり、まず今からの 50 年間から始め、次に、遠い将来までを見通す。

本章では、長期の累積供給曲線を導入するが、これは鉱物の利用可能性の主要な決定要素を分類するために有用な解説手法である。また、われわれが現在理解していることと理解可能なものを区別し、その二つが異なっている可能性を示す。

Box 5-1. M. King Hubbert

M. King Hubbert(1962,1969) は、石油などの鉱物資源の生産が、はじめにピークまで上昇し、その後は対称的な経路でゼロまで下落するとのベル形曲線をたどると考えた地球物理学者である。この仮説を基にすると、生産量の増加率が下がり始めたときに、頂点を越えて下降する曲線を推定することができる。このような方法で 1960 年代初頭に Hubbert は、アメリカの石油生産が 10 年以内にピークに達すると予測した。実際に生産量の下降が 1970 年に起きたので、彼の考えは広く注目され、多くの支持者を得た。

ハバート曲線とそれを利用した予測には、今でも多くの熱心な支持者がいる。たとえば Campbell(1997) は、Hubbert の手法を応用し、世界の在来型石油の究極的な回収量が 1.8 兆バーレルであると結論づけた。彼は究極回収量を、今日までの累積生産量、現在の埋蔵量、これから発見される石油の量と定義している。最近では、再び Hubbert のアプローチに従い、Deffeyes(2001, 158) が世界の石油生産量が早ければ 2003 年にピークに達すると論じ、「ピークが 2009 年以降にずれ込む可能性は低い」としている。

Hubbert 法の基本的な理論は、油層の物理的特徴に基づいている。それは経済、政治、そして技術開発の影響が考慮されていない。より高い価格、戦争、新しい探鉱、および採掘技術すべてが、時間の経過とともに石油生産量の推移を変えることがあるので、多くの分析者はハバート曲線に基づく予測を信頼性が高いとは考えていない。

短　期

これからの 50 年間では、資源枯渇の結果として鉱産物の重大な不足が起こるような世界には直面しそうにない。世界の需要は増加を続けるものと予想されるが、ほとんどの鉱産物の埋蔵量の規模は、現在の成長速度をもとにしても少なくとも数十年の間は需要を満たすと期待される（表 3-1. 参照）。埋蔵量は固定された量ではなく、運転在庫のように考えるのが適切であることをわれわれは学んだ。探査やその他の手段によって、時間とともに企業は埋蔵量を増やすことが可能であり、世界的な埋蔵量の増加がこのところ定期的に起こっている。この状況は、過去数十年間、多くの鉱産物の生産費用と価格の安定または低下と結びついており、鉱物枯渇の脅威が緊急の懸念にはあたらないというコンセンサスが専門家の間で広く受け入れられている[2]。

もちろん、鉱産物の不足はそれでも起こるかもしれない。第1章で指摘したように、鉱物の枯渇は利用可能性を脅かすいくつかの要因の一つにすぎない。その他の要因としては戦争、災害、ストライキ、政治不安、カルテルがある。需要が予想より速く拡大したとき、新しい鉱山や製錬設備への投資が不十分になるかもしれない。さらに、鉱産物の市場には定期的な不安定が起こることが知られており、世界経済が好況なときには供給不足と高価格に、世界経済が不況なときには供給過剰と低価格になる。鉱物枯渇とは対照的に、これらの市場混乱の影響は一時的なもので、数年しか続かず、10年や20年以上続くことは稀である。次の50年間に、そしておそらく遠い将来においても、一時的な鉱産物の不足がときどきは起こるであろう。

長　　期

資源枯渇の長期的な脅威に関しては、専門家の間では意見の一致がほとんど見られない。進行中の議論の一方には悲観論者、多くは科学者とエンジニアから構成されているが、彼らは石油などの鉱物資源に対する世界の需要を地球が永久には満たすことができないと確信している[3]。もう一方には、楽観論者、多くは経済学者からなるが、彼らは市場のインセンティブ、適切な公共政策、代替材料、リサイクル、新技術の助けを借りれば、地球は遠い将来まで世界の需要を満たすことができると確信を持っている[4]。

異なったパラダイムと技術への信頼

何十年もの間、議論や討論が続いているにもかかわらず、なぜ専門家のなかで、これほど対立した見解が歩み寄らないかについては、全くわからないわけではない。それは、それぞれの学問が異なったパラダイムから出発しているからである(Tilton 1996)。第 1 章で示したように、悲観論者は人類に関連のあるような短い時間においては鉱物資源が再生不可能であると見る。したがって、資源供給量は使用することによって減少する固定された量である。さらに、拡大する人口と上昇する 1 人あたりの所得が、鉱産物の需要を急速に増大させ、世界の鉱物資源がなくなる日が近づくのを早めていると信じている。

楽観論者は資源枯渇について完全に異なった見方をする。一つには、地殻に含まれる鉱物資源は現在の消費量では、何百万年、物によっては何十億年も続く量なので、彼らは非再生資源の供給における究極的な固定ストックの概念とは無関係であると考える（表 3-2. を参照)。さらに、多くの非再生鉱産物、たとえば、すべての金属は使用されても破壊されるわけではない。地殻の内部や地表で発見されるこれらの資源量は、かつてあった量と今日でも同じである[5]。さらに、豊富でおそらく再生可能な資源への代替、とくに石油とその他の非再生エネルギー資源についての代替は、時間がたてば起こり得ると考えられる。

最終的には、悲観論者のなかにもこの点で同調する者が多くなっているが、増加する採掘費用と上昇する価格によって、鉱産物のすべてが完全に地殻から採取されるはるか前に需要が絶たれることになろう。その結果、両学派の優秀な学者の間には共通した見解が生まれ始め、固定ストックのパラダイムを後退させて、鉱物資源を発見し採取するための機会費用に焦点を合わせる代案を検討すべきであるとされている。

機会費用のパラダイムは鉱体の相違を強調する。最も容易に発見され、最も費用のかからない鉱床が最初に開発されることになる。時間が経つとこれらの鉱床は枯渇し、より品位が低く僻地にあり、より製錬が難しい鉱床を利用することを強いられる。これは生産費用と鉱産物価格を押し上げることになり、増加する稀少性が反映されている。現実に、もし価格が大きく上昇したなら、たとえ非経済的な鉱物資源が地中に残っていても、需要がゼロに落ち、生産は終了することになろう。物理的な枯渇が問題になる前に、経済的な枯渇が生じることになる。

しかし、機会費用パラダイムのもとでは、物理的なストックの指標とは反対に、増加する稀少性を避けることもできる。時間の経過とともに枯渇が費用を押し上げている間に、新技術や低費用の新しい鉱体の発見、その他の展開が費用を押し下げている。新技術、新発見、その他の費用低減の開発が、枯渇による費用増加を相殺するなら、稀少性は低下し、鉱産物の費用と価格は下落するかもしれない。第4章で説明したように、この好ましい状況が過去1世紀の間に実際に起こっていた。

楽観論者は、過去が必ずしも将来の良い指針にはならないことを理解しているが、鉱産物価格の上昇がこれを相殺する多くの手段を生み出すことを強調する。とくに、より高い価格は新しい費用削減技術の開発、新しい鉱床の発見、古くなった鉱産物のリサイクル、そして安い代替物を見つける経済的なインセンティブを強めることになる。このような自己修正メカニズムは、多くの人が想定する以上に枯渇の脅威に対して弾力性のある経済を形成すると、彼らは考えている。

楽観論者はまた、人口増加が、鉱産物の需要と同様に供給も変えると指摘する。人が増加すると、鉱産物の需要が促進され、それが枯渇を加速し、費用と価格を押し上げる力を増加させることになるが、人が増えることは、枯渇にともなう費用増加の効果を相殺するであろう新技術を開発する、優れた頭脳が増えることも意味する。結果として、資源の利用可能性にとって人口増加は必ずしも悪いことではなく、かえって良いことかもしれない。「The Ultimate Resource」でJulian Simon(1981)は、人間の発明の才能（究極の資源）だけが、経済成長と社会福祉を制限すると論じた。この議論はある程度まで、地質学者でありU.S. Geological Survey（米国地質調査所）の前所長であるVincent McKelveyによって予測されたことは興味深い。McKelvey(1973)は、人間の福祉もしくは社会の平均生活水準と彼が呼ぶものが、原材料（金属、非金属、水、土、鉱物など）の消費、種々の形態のエネルギー消費、そしてあらゆる形態の発明の才能（政治的、社会的、経済的、技術的な発明を含む）の活用によって上昇すると主張する。逆に、生産される総産出物を共有しなくてはならない人の数が増加するに従い、平均生活水準は低下する。

しかし悲観論者は、これらの力、とくに新技術が、過去には鉱物の費用と価格が上昇することを防げたことを十分に理解している。しかしながら、彼らがいだいている懸念は将来についてである。彼らは、鉱産物の需要が急速に増加しているのを見て、市場のインセンティブと新技術が、いつまでも鉱物の稀少性を阻止できると仮定する考えを疑問視している。彼らにとって新技術は両刃の剣であり、懐疑の目で見なくてならない。援助（たとえば、より低費用の鉱産物）の手を差しのべながら、新技術は重大な問題（たとえば、気候変動）も引き起こす。

楽観論者と悲観論者の討論が示唆しているように、鉱産物の長期利用可能性は、おもに新技術の費用低減効果と資源枯渇の費用増加効果の競争にかかっている。前世紀では新技術は、枯渇がもたらす悪影響を相殺することに成功しているが、将来の新技術の行き先は予測不可能である。これは資源の利用可能性の確実な将来傾向は誰にもわからないことを意味する。実際、それは知ることは不可能であるとさえ結論づけることになるのかもしれない。しかし、これはあまりにも悲観的すぎる。それがなぜ悲観的すぎるのかを示すために、鉱産物の累積供給曲線を紹介しよう。

累積供給曲線

鉱産物の累積供給曲線は、石油や鉛などの鉱産物の合計もしくは累積の供給量が、価格とともに全期間にわたって変化する様子を示している。これは、入門的な経済の教科書で見られる、1ヶ月や1年のようなある特定の期間内で、さまざま価格で市場に売り出される財の数量を示す伝統的な供給曲線とは異なっている。累積供給曲線から導き出される供給量はストック変数であり、伝統的な供給曲線から出される値はフロー変数である。なぜなら、一期間から次の期間まで無制限に継続できるからである。

累積供給曲線は非再生資源から生産された産品のみに当てはめられる。再生

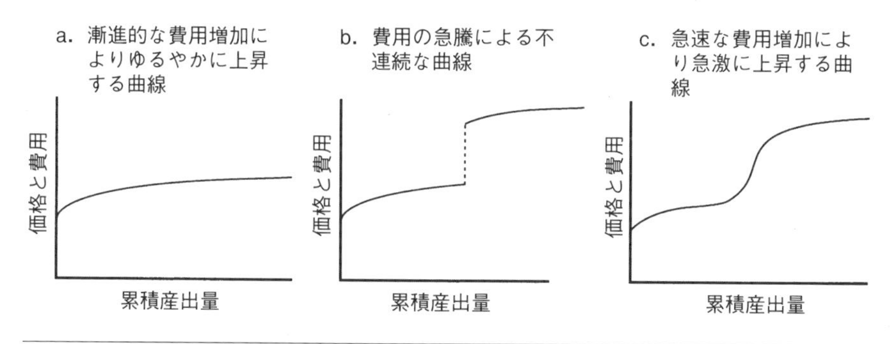

図 5-1. 累積供給曲線の例示
出典： Tilton and Skinner (1987)

資源をはじめとして[6]、小麦、自動車などの多くの財について、現在の生産費用をまかなう価格を超えて考えると、累積供給量は無限である。しかし銅などの鉱産物では、ある特定の価格における累積供給量は、利益をともなって産品を採掘できる資源の利用可能な数量によって限定される。

伝統的な供給曲線のように、累積供給曲線は、技術など供給のすべての決定要素が、価格を除いて、現在の一般的なレベル（あるいはその他の特定のレベル）で固定されていることを仮定する。探鉱と新発見が起こることもあるが、探査技術と地質学の知識の両方が変化しないままでいると仮定している。

価格が上昇すると、より低品位で採掘費用の高い鉱床も開発が可能になるので、累積供給量の傾きは正である。価格が高いほど、累積供給量はより大きくなる。しかし、図 5-1. が示すように、資源の利用可能性について非常に異なる意味を持つ違った形のものが、右上がりの曲線として見られる。図 5-1. a における徐々に上昇する曲線は、少しの価格の上昇が累積供給量の大幅な増加をもたらすので、将来の利用可能性に有利である。この曲線によれば、上昇する累積消費量は、時間とともに、鉱産物の費用と価格にゆるやかな増加しかもたらさない。それとは対照的に、曲線 b と c では、ある時点で突如、累積供給量の増加によって、非常に採掘費用の高い鉱床を開発することが必要となるので、急激な価格の上昇を引き起こすことになる。

資源の利用可能性を時間とともに変化させる多くの要因は、三つのグループに分類される。第一のグループは累積供給曲線の形を決定する。それは、鉱床の成因や産状のようなさまざまな地質学的要素を含む。第二のグループは、社会がどれほど急速に累積供給曲線を駆け上がるかによって決定する。それは人口、1人あたりの所得、そして一次鉱産物の生産に対する累積需要に影響するその他の要因を含んでいる。第三のグループは、累積供給曲線を時間の経過にともなって移行させる技術や投入物費用の変化が含まれる。

最初の二つのグループが枯渇による費用増加の効果を決定するのに対し、第三のグループは新技術による費用削減の効果を反映している。今まで見てきたように、鉱産物の利用可能性が、将来、上がるか下がるかは、利用可能性に関するこれら三つのグループの相対的な影響に依存している。それでは、われわれは、将来のそれらの展開について、どこまでわかっているのであろうか？

地質学的要因

累積供給曲線の形が鉱産物の将来の利用可能性にとって有利に動くかどうかは、鉱床の数、鉱床の規模、分布、産状に依存する。Lasky(1950a, 1950b) などの地質学者は、品位低下、たとえば銅の場合では、1.0％から0.8％や0.6％への低下によって、利用可能な鉱石の量はそれまでよりも大きく増加すると主張している[7]。このような好ましい関係は、図5-2. a で表すように、回収可能な銅量と品位との関係に単峰型の分布が存在することになる。

その他の多くの地質学者、たとえばSinger(1977) は、母なる自然がそれほど親切であるかどうか疑問に思っている。太古の鉱床の成因に関与した地球化学的プロセスは、まだよく解明されてはいないものの、品位（より一般的に鉱床の質）と鉱産物の利用可能な量との関係が単峰型になる可能性が少ないことをSkinner(1976, 1979, 2001) は指摘し、多くの地質学者が同意している。図5-2. a に代わって図5-2. b で示されるように、多くの鉱産物の関係はおそらく二つのピーク、あるいは多数のピークを持っていると Skinner は主張している（Box 5-2. を参照）。

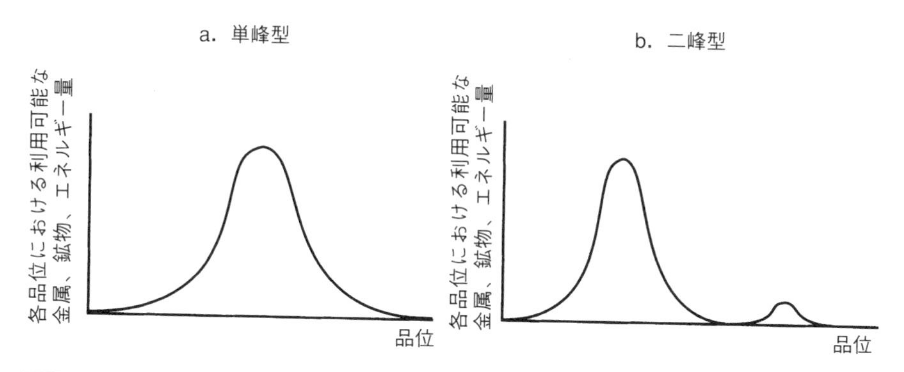

図 5-2. 鉱石の品位と、資源量ベース（金属、鉱物、エネルギー量）の間で推察される二つの関係

出典： Skinner (1976)

Box 5-2. Skinner の論旨

Skinner は、地球が 92 の化学元素で構成され、それらが結合することで鉱物を形成し、社会が採取し鉱産物として加工されているのはそのうちの一部であると指摘する。92 の元素のうち五つは非常に稀少なので、ほとんどの場合、無視することができる。残りの 87 種のなかには、9 種の豊富な元素（酸素、シリコン、アルミニウム、鉄、カルシウム、マグネシウム、ナトリウム、カリウム、チタン）があり、それらを合わせると地殻の重量の 99 %を占める。その他の元素は稀少で、銅、鉛、亜鉛、錫、金、など広く使われる金属がそのなかに含まれている。

Skinner の分析の中心である稀少元素は、二つのグループの鉱物学的な環境にある。第一のグループでは、地殻の大部分を構成し、広く利用可能なケイ酸塩鉱物中の元素の一つが稀少元素によって置き換わったものである。たとえば、一般的な鉱物である黒雲母は、しばしば銅、亜鉛、ニッケル、その他の稀少金属を微量に含んでおり、それらの原子が（大きさと電荷に関して）マグネシウム原子と類似しているので、黒雲母の分子構造のなかでマグネシウムが銅などと置換することがある。このようにして、一般的な岩石にはすべての元素が微量ながら含まれている。

第二のグループの鉱物は、原子置換で閉じ込められた稀少金属を抽出するさまざまな地球化学的なプロセスの結果によるものであり、そのプロセスの多くは水溶液によるものである。金属は濃縮され、移動し、最終的に溶液から沈殿し、主成分として銅やその他の稀少元素を含む完全に異なった形、非ケイ酸塩鉱物を生成することになる。このようにして、たとえば、銅は黒雲母から溶出し、濃縮され、そして黄銅鉱などの銅を含有する鉱物として沈殿する。

原子置換の限界は、元素、物理的および化学的な条件、鉱物によって異なるが、Skinner は通常、稀少元素が鉱物の重量の 0.01 %から 0.1 %まで上昇すると主張する。上限は鉱物学的バリヤを形成する。上限を超えると（稀少な）独立鉱物が形成される。限界以下では、稀少金属が一般的なケイ酸塩鉱物の分子構造のなかに微量に捕えられている。鉱物のこれら二つのグループを形成する地球化学的プロセスの差が、含有する銅などのパーセンテージで表される鉱石の最低品位と、岩石の最高品位との間の隔たりとなる。

この場合、品位と量の関係は、図 5-2. b に示されるような二峰型であり、Lasky が提案するような図 5-2. a で示される単峰型ではない。もちろん、地殻の銅、錫、その他の稀少金属の大部分が、岩石ではなく鉱石、すなわち図 5-2. b の右側の山に蓄積されている場合、この二峰型の分布はあまり心配にならないであろう。しかし、Skinner(2001) は、利用可能な地質学的な証拠に基づくと正反対であることを示唆している。すなわち、鉱石として利用できるのは、地殻に存在する稀少金属の 0.001 %から 0.01 %にすぎず、残りは岩石の分子構造中に捕えられているのである。

本文で指摘したように、Skinner は、鉱物学的バリヤを品位の低下以外の理由で破ろうとすると、製錬費用が急増する可能性が高いと主張している。銅の場合、黄銅鉱のような鉱石鉱物は、比較的安価な機械的な技術（たとえば、粉砕と浮選）を用いた選鉱工程で他の鉱物から分離回収することができる。その結果できるのは 30 %以上の銅を含む精鉱である。その鉱石の分子構造に捕えられた銅を解放するために、多量のエネルギーを必要とする技術は、この精鉱に用いるだけでよい。ところが、銅がケイ酸塩鉱あるいは普通の鉱物（岩石）から抽出される場合はこのようにはいかない。多量にエネルギーを消費する分離技術が採掘されたすべての鉱物に用いられなければならないなら、Skinner はこれだけでエネルギー費用が 10 から 100 倍に増加すると推定している。

Skinner の説は、彼自身(Skinner 2001) が指摘するように、石油、天然ガス、石炭のようなエネルギー資源には適用されない。同様に、鉄、アルミニウム、マグネシウム、チタンのような一般的に豊富な金属にも当てはまらない。しかし、それは社会になくてはならない多くの重要な金属を含む多くの鉱産物には当てはまる。稀少金属の枯渇は、「A Second Iron Age Ahead?（第二の鉄時代到来か？）」という書籍で Skinner ら(Gordon and others 1987) によって、金属の生産が稀少金属から離れて、鉄やその他の豊富な金属に向けて移行する、との考えが導かれている。

単峰型の関係は、量と価格の広い範囲にわたって減少する勾配を持つ連続的な累積供給曲線に有利に働くのに対して、二峰型曲線には問題が多い。それは、高品位な鉱床（鉱石鉱物が含まれる、現在採掘されている鉱石）が枯渇し、より低品位な鉱床（造岩鉱物を含み、地殻を構成する岩石）から生産されなければならなくなる。この時点で、累積供給曲線の勾配に図 5-1. b に示されるような不連続、もしくは図 5-1. c に示されるような急なジャンプが含まれていることになる。

鉱石の品位と量について、いくつかの鉱産物に関して（より正確には鉱床タイプに基づいて）実証的な研究が行われている[8]。ところが Singer and DeYoung(1980) と Skinner(2001) で指摘されているように、これらの論文の利用可能なデータの大部分が、操業中の鉱山、または現在のところ経済的価値を持つには至っていないが操業中の鉱山に類似した成因を持つ鉱床に限られている。したがって、それらでは、操業中の鉱床タイプとは異なる成因の鉱床が資源の利用可能性にどのように貢献するかについては、ほとんど吟味されていない[9]。鉱産物の世界供給の大部分がこのような既存のタイプの鉱床に依存している点に問題が残されている。さらに、Harris and Skinner(1982) によると、利用可能なデータには偏りがあり、鉱石の品位と量の間に見られる負の関係が誇張されているかもしれない。品位が低下しても、それにともなって鉱量が増加しないことも考えられる。したがって、品位が低下するにつれて鉱物資源の利用可能性が加速度的に増加するかどうかを決めるにはもっと多くのことを調べる必要がある。

鉱床の性質もまた、累積供給曲線の形に影響を与えるかもしれない。枯渇が進むにつれて、完全に異なったタイプの鉱床を生産に組み入れる必要が生じ、その製錬には膨大なエネルギーやその他の投入物を増加させねばならない(Skinner 1976)。たとえば、今日、硫化鉱に含まれる銅は熔錬・精錬される前に、粉砕と浮選によって濃縮されている。熔錬・精錬は非常にエネルギーを消費するプロセスであるが、この工程によって大幅に生産費用が軽減されている。銅はケイ酸塩鉱物にも含まれているが、硫化鉱で開発された濃縮処理技術は適用できない。図5-3.は、通常の岩石の最も品位の高いケイ酸塩鉱でも製錬に必要なエネルギー投入量は、硫化鉱の最低品位の鉱石に必要なエネルギーより10倍から100倍大きいことを示している。将来、ケイ酸塩鉱から銅を採取する時代がくるとすると、製錬費用の急激な上昇をもたらし、累積供給曲線の勾配に不連続または急上昇が起こることになる。

しかし、累積供給曲線における費用の急上昇と不連続は、硫化鉱とケイ酸塩鉱との間に品位の大幅な重複がないときにのみ起こる。もし図5-3.のケイ酸塩鉱の曲線が右下方向へ十分に伸びるならば、エネルギーなどの費用の大きな増加なしに非常に低品位な硫化鉱から高品位のケイ酸塩鉱に移行することは可能であるかもしれない。このような状況は、バリウム、リチウム、ニッケル、そしてもしかすると銅（深海底のマンガン団塊にも銅が含まれているので）について当てはまる。すでに、ニッケルでは硫化物鉱床とケイ酸塩（ラテライト）鉱床の両タイプの鉱床から生産されている。

ところが、その他の金属については、この鉱物学的バリヤを乗り越えるには費用の劇的な増加をともなうかもしれない。鉱産物の長期利用可能性に対するこの影響は明らかであるにもかかわらず、さほど注目されていない。新しいタイプの鉱物資源を利用する必要が生じたり、少なくとも予知されることが現実の問題となるまで、このような潜在的な問題を分析する経済的なインセンティブは低い。

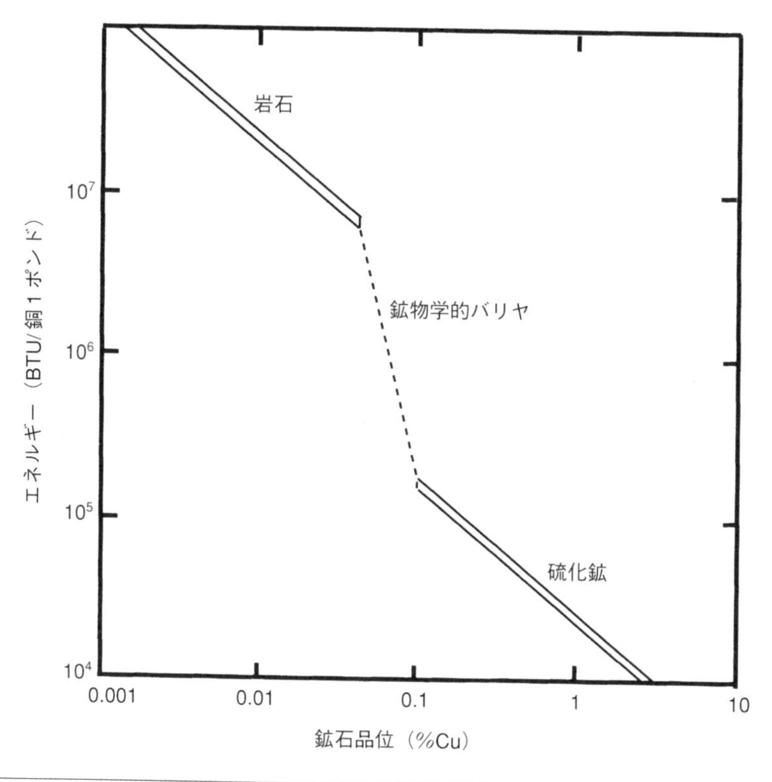

図 5-3. 硫化鉱とケイ酸塩岩から銅１ポンドを抽出するために必要なエネルギー
出典： Skinner(1976)

一次鉱産物の需要

検証の必要をせまられている第二のグループにおいて、決定的な要素となるのは、累積供給曲線を駆け上がる速度であろう。このグループには、一次鉱産物の需要を決定する四つの基本的な要素が存在している。すなわち、人口、1人あたりの実質所得、使用強度、二次生産である（Box 5-3. を参照)。

「人口」をかわきりに、これらの四つの変数をそれぞれ検討しよう。世界人口は、何世紀、いや何千年にもわたって、安定し、少なかった。しかし、図 5-4. に示すように、18 世紀に加速的な成長が始まり、20 世紀中に 17 億人から 61 億

Box 5-3. 一次鉱産物おける総需要の決定要因

人口、1人あたりの所得、使用強度が、鉱産物の総需要（一次と二次の需要を合わせたもの）を決定する。すなわち、式(1)が示す恒等式によって、次の変数の積と総需要が関連づけられる。総所得（Y）を人口（Pop）で割ったものが1人あたりの所得、需要または消費される鉱産物の量（Q）を所得（Y）で割ったものが使用強度と定義され、

総需要＝(人口)・(1人あたり所得)・(使用強度)

あるいは、　(1)

$$Q = Pop \times (Y/Pop) \times (Q/Y)$$

が得られる。総需要から二次生産量（すなわち、リサイクルされたスクラップからの生産量）を引くことで、一次生産に対する需要が得られる。後者を現在から将来の特定の年まで合計したものが、その期間中の産品の累積需要量であり、社会がどこまで累積供給曲線を昇るかを示す。

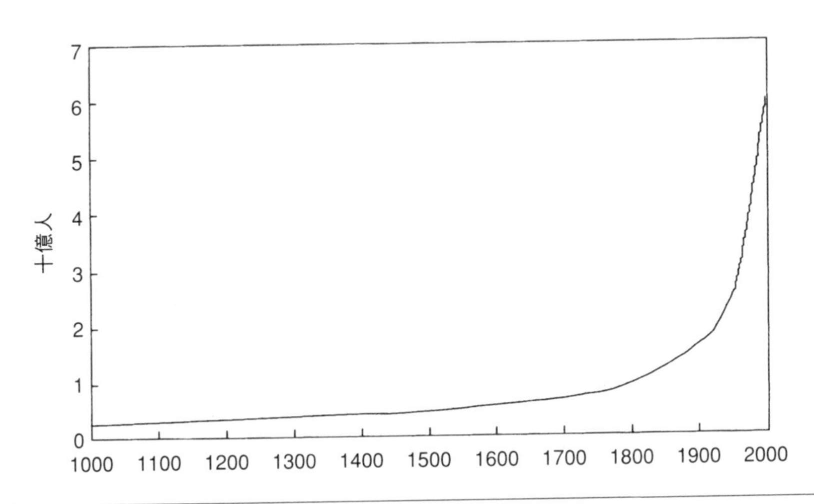

図5-4. 世界人口、1000～2000年

出典：U.S. Census Bureau(2001a, 2001b)

人にまで爆発的に増加した。しかし、20 世紀の終わりには成長率は鈍くなり、21 世紀の中ごろまでに世界人口は 90 億人強で安定するものと予想されている (U.S. Census Bureau 2001b)。

人口成長が鈍化する現象は先進国で最も顕著に見られている。1 人あたりの所得の上昇は、まず寿命を伸ばし、人口増加を刺激する傾向がある。しかし、経済発展が進むにつれて出生率が低下し、人口成長が遅くなり、やがて停止する。フランスをはじめ、いくつかの先進国では人口が現実に減少し始めている。その他の先進国では、人口の減少は移民によって防がれている。人口統計学者によると、多くの発展途上国でも先進国に見られるような人口の鈍化傾向をたどると予測されている。結果として、前世紀で見られたような人口増加による鉱産物需要に対する強い圧力は、次の世紀には確実に減少し、おそらく止まると推測されている。

周知のように、人口統計学者はかなりの精度で次の 50 年から 100 年にわたる人口を予想することができるが、より遠い将来の予測は困難である。政府の政策、政治的な安定性、流行病、景気、習慣、人々の嗜好などがすべて将来の出生率と死亡率に関係を持っているが、どのように影響するかを 1 世紀以上の将来について正確に予測することは不可能である。

「1 人あたりの所得」について、遠い将来まで予測することは人口予測よりいっそう難しい。経済学者達は、なぜ何百万という人々が生存レベルの貧困またはそれに近い状態にあるにもかかわらず、ある国では過去 1 世紀の間に急速に経済発展をしてきたのか理解しようと努めてきた。社会的および政治的な制度、人的資本、経済開放・競争のすべてが重要であることは広く認められている。しかし、なぜこれらの好ましい条件が、ある国で起こり他の国では起こらないのか、そしてある時期に起こり他の時期には起こらないのかは、依然として専門家をなやましている課題である。

過去を説明することが難しいならば、将来のいつ、どこで、どのような規模で経済発展（1 人あたりの所得の増加に反映されるような）が起きるかを予測するのは、さらに困難な問題であることは明らかである。われわれは遠い将来はいうまでもなく、100 年後の世界の 1 人あたりの平均所得がどうなっているのかほとんどわかっていない。発展途上国は先進国に相当する生活水準を達成しようと努力している。一方、先進国は過去1世紀の間に経験した1人あたりの所得の増加が持続することを望んでいる。これらの希望が達成されるか否かは不明であるが、50年以上後の1人あたりの実質所得が、現在のレベルよりもはるかに上がる可能性が高いことは確かである。

「使用強度（IU, Intensity of Use)」は鉱産物の消費状況を表しており、これは通常、石油におけるバーレルや鋼のトンで示される物理量を、インフレ率を換算したドルやその他の通貨単位で測った国内総生産（GDP）で割ったものである[10]。それは所得1単位あたりの鉱産物需要を意味し、たとえばGDP 10億ドルあたりの銅消費のトン数となる。

過去に、International Iron and Steel Institute(1972) とMalenbaum(1973, 1978) は、鉱産物の使用強度が1人あたりの所得に反映される経済発展に依存するという仮説をたてた。すなわち、彼らの議論によると、開発が進んでいない非常に貧しい国々では、鉱産物を最低量しか必要としない自給自足の農業やその他の活動に労力の大部分を費やしている。したがって、鉱物の使用強度は低い。しかし、経済発展が進むにつれて、その労力は住宅、道路、学校、病院の建設に向けられ、鉄道や製鉄所の建設が始まり、最初は自転車、次に自動車が使われるようになる。このような活動は鉱物の使用強度を押し上げる。しかしながら、ある時点でこれらの需要がほぼ満たされ、さらに進むと再び人々の嗜好を変化させ、使用強度の低い教育、医療などのサービスに移行する。

これらの理由から、使用強度の仮説は図5-5.の曲線C_1のようになり、1人あたりの所得と鉱産物の使用強度の関係は逆U字型が想定されている。この仮説は何年かの間、鉱産物の将来の消費を予測するための単純な手法として活用されてきたけれども、限られた範囲にしか適合しなかった。このことやその他の理由も含めて、使用強度はかなり批判を受けた。しかし鉱物の使用強度が、経済発展とそれにともなう消費者の選好（消費者が嗜好する順序）の変化に依存するという基本的な考えは、非常に妥当なものだと思われる。

このほかにも使用強度に影響する要因はある。政府の政策（たとえば、防衛や教育への公的資金の増加)、新しい財やサービス（たとえば、コンピュータや

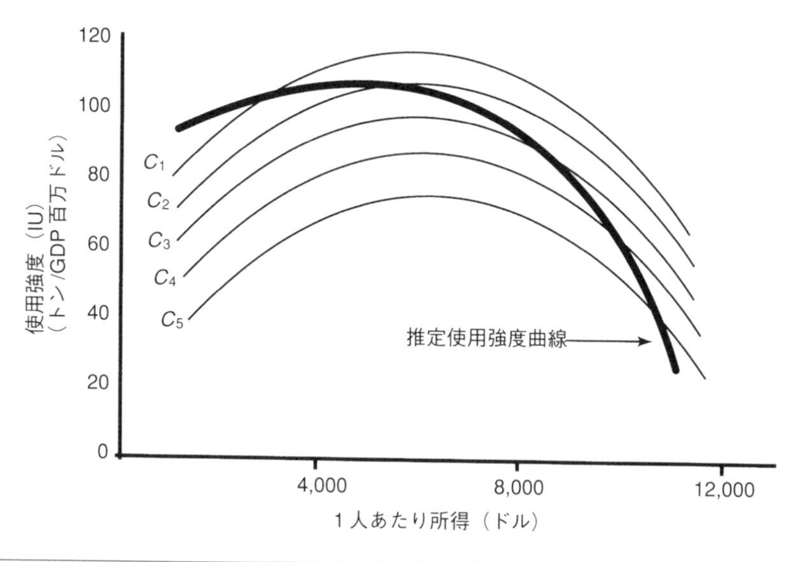

図 5-5. 使用強度曲線

携帯電話）の導入、人口統計の変化（たとえば、退職者の増加）、その他の要因（たとえば、1980 年代と 1990 年代の石油価格下落が SUV 車や小型トラックの需要を促進させるとか）が、経済発展の変化とともに消費者の選好を移行させる。このような変化は、経済が生産する財とサービスの組合せ、すなわち所得の生産物構成（product composition of income）と呼ばれるものを変化させる。

それらに加えて、使用強度は特定の財やサービスを作り出すために使用される鉱産物、いわゆる生産物の材料構成（material composition of products）の変化の結果として、時間の経過とともに移行するかもしれない。これらの変化は、おもに材料代替と省資源の新技術によって促進される。たとえば、アルミニウム缶に対するプラスチック飲料容器の代替は、プラスチックの使用強度を高める一方で、アルミニウムの使用強度を低下させる。さらに新技術のおかげで、今日ではアルミニウム飲料缶をより薄いシートで造ることが可能になり、使用する金属が少なくなった。

1人あたりの所得と経済発展に加えて、多くの要因が使用強度に影響を与えるので、使用強度と1人あたりの所得を関連づける逆 U 字型曲線は安定しておらず、これらの要因の変化にともなって移行する。図5-5.は、C_1からC_2、C_3、…へと時間の経過とともに下方へ移行する使用強度の曲線を表す。結果として、開発が進むにつれて、時間の経過とともにたどる鉱物の使用強度は、異なる使用強度曲線上のさまざまな点に反映される。この点の集合は、図5-5.に示す太い曲線のようなハイブリッド曲線を描くことになる。

使用強度曲線は下方と同じく上方にも移行することがある。例をあげると、この現象は、1970年代と1980年代のアルミニウムで見られ、アルミニウム材料が錫の飲料容器と置き代わったときである。しかし、次の二つの理由のために、少なくとも広く使用される伝統的な鉱産物では通常の傾向として、曲線は下方へ移行するものである。第一に、省資源技術は使用強度を減少させるが、増加はさせない。より強度の高い鋼の開発によって50年前と比べると、今日では、はるかに少ない鋼材で橋を作ることができる。必要とされる鋼の量を増加させるような新しい技術開発は、進歩とはみなされず、採用されないであろう。第二に、科学者とエンジニアは常に新しい材料を開発している。過去数十年の間に、たとえば多くの新しいプラスチック、セラミックス、合成材料が市場に浸透した。伝統的な材料では、新しい材料が既存の市場の一部を獲得するにつれて、使用強度が減少し、バランスをとる傾向がある。しかし、ときには代替が使用強度を増加させることもあるかもしれない。

同じ傾向はエネルギー資源にも見られる。新技術は、1ガロンのガソリンで自動車がより遠くまで走れることを可能にし、またパッシブないしアクティブソーラーエネルギーの利用が家の暖房と給湯に必要な天然ガスと石油の量を減少させる。

このように、1人あたりの所得の上昇が消費者の選好を変え、新技術が鉱産物の利用に影響を与えるにつれて、鉱物の使用強度は将来的に低下する可能性が高い[11]。この結論は、入手可能な実証的研究(Tilton 1990; U.S. Energy Information Administration 2000)により強く支持され、重要な金属およびエネルギー資源の使用強度が長期的に低下することが示された[12]。この傾向は継続するものと考えられるが、使用強度のトレンドを形成する要因の多様性を考えると、遠い将来まで低下の大きさを予想することは不可能である。さらに、将来の鉱物利用を変えると思われる新技術のような決定要素は、全く予測不可能である[13]。

一次鉱産物需要の四つの基本的な決定要素の最後は、「リサイクルと二次生産」である。もちろん、われわれは通常、二次生産を需要の決定要素としてではなく供給源として考える。しかし、図 5-1. に示した累積供給曲線は、一次鉱産物の生産だけを反映しており、一次と二次両方をあわせた生産量ではない。二次生産は一次生産の量に影響を与えはするが、それは、一次鉱産物の供給よりもむしろ需要に影響を与えるためである。

二次生産は、一般的にエネルギー関連の資源にはほとんど関係ないが、多くの金属では重要である。たとえば、アメリカでは、古スクラップのリサイクルは現在、銅、アルミニウム、鉛の国内消費量のそれぞれ 12、20、61 %をまかなっている(U.S. Geological Survey 2001)。

それではリサイクルの将来について何が言えるのか？　第一に、二次生産は最終的にリサイクルに利用できるスクラップの量によって制限されている。たとえば、含鉛塗料スクラップのなかの鉛はリサイクルに莫大な費用がかかるので、この場合は、それ自体の二次生産だけでは将来の鉱産物の需要を間違いなく満たせないであろう。これは、最低費用の一次生産者よりも低い費用で必要な生産量のすべてを二次生産でまかなえるようにするためには、大きな需要の減少を必要とすることになろう。

第二に、第一の事項とも関係するが、鉱産物の需要が高まるほど、総消費量に対して二次生産が供給する割合がより小さくなるであろう(Radetzki and Van Duyne 1985)。これは、どの時点においてもリサイクルに利用可能なスクラップ量は 10 年以上過去に消費された金属の量に依存するという事実に基づいている。したがって、需要が急速に増加するとき、すべての利用可能なスクラップがリサイクルされたと仮定しても、二次生産はその時点の需要の一部分しか満たせない。

第三に、二次金属生産は一次生産の代替に近いものであり、その将来の動きは一次金属市場のトレンドに密接に結びついている。何人かの研究者(Ayres 1997) が二次生産の役割は将来増大しなくてはならないと強く主張するが、この結論は、一次資源の利用可能性が下落をたどるであろうとの仮定に基づいている。もし枯渇などの要因から金属価格が上昇するなら、二次銅の需要と生産量は増加するであろう。逆に、新技術が枯渇の影響を相殺する以上に有効であり、一次生産の費用を低下させたならば、二次金属の産出は、より速い速度でその費用を低下させない限り、一次生産に比べて相対的に下落することになろう (Tilton 1999)[14]。

要するに、一次生産の見通しが暗いとそれだけリサイクルの役割が大きくなり、その逆もまた同様である。この見解は、リサイクルの有益な影響が社会のニーズによって増加することを示唆する点で力づけられるが、近い将来の目的にはとくに役立たない。それは将来のリサイクル量が一次鉱産物の利用可能性に依存していることを示し、これは、まさに、われわれがリサイクルと一次鉱産物需要の長期トレンドの評価から正確に決定しようとしているもの、そのものである。

この一次鉱産物需要の四つの基本的な決定要素の端的な結論は、人口増加は次の世紀にピークに達した後に減少が始まり、1 人あたりの実質所得は上昇を続け（大災害の可能性を除いて)、おそらく使用強度は長期的な下落が持続し、そしてリサイクルがおもな金属の世界消費の一部（それは拡大するかもしれないし減少するかもしれないが）をまかなうことになろうということを示唆している。

これは興味深いことではあるが、残念ながらわれわれは、これらの矛盾を含んだ影響の次の世紀における総合的な効果、すなわち世界がどれほど速く累積供給曲線を駆け上がるかについての姿を明らかにすることができていない。さらに、遠い将来になるにつれて視野はますます不透明なものになる。

技術と投入費用

最後に、累積供給曲線を移行させる力である技術と投入費用の変化に、目を向けてみよう。まず、鉱産物の利用に影響を与える需要面の新技術が、累積供給曲線を昇る速度に与える影響を見たのち、生産費用もしくは鉱産物の供給に影響する技術の変化に焦点を合わせる。

このような新技術は累積供給曲線を下方へ移行させる。もしそうでなければ、新技術が生産費用を減らすのではなく上昇させることになり、採用されないであろう。しかし、投入費用の変化は曲線をいずれの方向にも動かすことができる。

労働、資本、エネルギー、材料はほとんどの鉱産物にとって重要な投入物である。前世紀に、労働の実質費用は少なくともアメリカやその他の先進国では大幅に上昇し、これらの国々の生活水準に劇的な改善をもたらした。これは、累積供給曲線に上方への圧力となった。他の三つの投入物の価格については変動し、時には上昇し、時には下降している。

これらの変化は強力であったので、新技術が累積供給曲線に及ぼした影響を小さく見せてきた。Barnett and Morse(1963)、Simon(1981) ら、前章で検討したその他の著者の多くは、新技術が費用を減らし、利用可能性を増やすことに大きな貢献をしたことを強調している。さらに加えて、それらの文献では、重要な新技術が、一般的に採鉱とエネルギー生産に、とくに個々の鉱産物ごとに与えた影響の事例で埋めつくされている[15]。石油とガスの水平掘削、銅の SX-EW 法、ニッケルの高圧酸リーチング、石炭の長壁採炭法、鋼の電気炉とミニミル、トラックとパワーショベルの大型化、大型高速ドリル、探査衛星画像、コンピュータ制御による操業などは、鉱産物の生産をより容易で安価にする新技術のほんの一例で、よく知られている。

しかしながら、新技術の将来の効果を予測することは、過去の影響を評価することに比べるとはるかに困難である。新技術を予測することは、たとえ短期間であっても困難であることは周知のことである。まして、50 年以上先の将来を見るのは不可能である。われわれは、新技術の開発と導入が継続するであろうことはわかっているが、生産費用に対する遠い将来の影響を十分に推測する方法を持っていない。

資源の利用可能性の見込み

これまで見てきたように、資源の利用可能性の将来トレンドは、おもに枯渇による費用増大効果と新技術による費用削減効果の結果に依存することになる。プラス面として、鉱産物の利用可能性は、短期的、半世紀の間では問題になりそうにない。

長期的には、資源枯渇が鉱産物の不足を引き起こすなら、鉱産物の実質価格と費用がゆっくりと、しかし確実に上昇する。これはおそらく数十年をかけて徐々に現れてくるであろう。この点において、枯渇による不足は、戦争、カルテル、ストライキ、自然災害、不十分な投資、経済循環によって起こる突然で、一時的な供給不足とは非常に異なっている。枯渇によって不足が起こったならば、実質価格を上げることによって鉱産物の使用を制限し、それはまた二次生産を増やすことにもなる。結果として、世界が鉱産物を最後まで使い果たしてしまうことはなさそうである。

さらに長期的にも、少なくとも人類に関係ある時間尺度では、枯渇は避けられなくはない。過去のトレンドがいつまでも継続するとは期待できないが、将来は過去と同じようであるとも考えることができ、鉱産物の利用可能性の減少よりも成長を享受することになろう。

鉱産物の需要と供給に影響を与えている基本的要因をもとにして長期の見込みを評価するわれわれの取組みは不十分な結果となった。いくつかの興味深い見解を提供するものの、次の数十年以降について有効な予測を行うには、あまりにも多くの未知に遭遇している。

したがって、問題の核心には触れないままである。資源の利用可能性の将来動向が、生活水準を改善しようとしている地球上の人々の願望を促進しているのか妨害しているのか、はっきりしないのである。この問題には賛否両論に多くの人がいるのを見てきた。この問題にはっきりとした回答を与えていると主張する人は、明らかにあるいは暗黙のうちに、異論のある仮定、とくに技術の将来展望についての仮定に基づいて展開している。

新技術を予想することが不可能との理由で遠い将来が未知であるならば、本質的に未来はわかり得ないということになるのだろうか？　この疑問は再び累積供給曲線を呼び起こし、二つの問題が提起される。個別の鉱産物に関して、曲線の形状を評価することは可能か？　可能なら、分析する価値があるのか？

最初の疑問の答えは、おそらく「イエス」である。以前に指摘したように、必要な情報は地殻に存在する鉱床の数、性質、規模に関する地質情報である。すでに、経済的な鉱床（すなわち、現在開発して利益のある鉱床）に関してはかなりのデータが存在し、それは累積供給曲線より下部の形状についての情報を提供している。一方、経済限界下の鉱床に関する情報はきわめて少ないが、これは無理もないことである。というのは、探査会社やその他の企業は、このような鉱床についての情報を得ようとする経済的なインセンティブを持っていないからである。おそらく、将来、資源稀少性について真剣に考えるようになり、お金を出しても必要とされるようになるならば、この情報は得られるであろう。これは、より広い範囲の鉱石品位と価格をカバーする累積供給曲線の姿をより明確に提供する。

もちろん、貨幣の時間的価値（Box 2-1. 参照）のもとで、現在は経済的でないか、もしくは経済的な状態に近い鉱床について調査をするには費用を必要とする。結果として、この調査費に助成する公共政策は、累積供給曲線の形状を知ることによって期待される利益がこの費用を越える場合に限り望ましい。

2 番目の疑問への答えは、明らかに「イエス」である。累積供給曲線が不連続もしくは急激に上昇することなく徐々に上昇する鉱産物、すなわち図 5-1. a に示される曲線に類似したものでは、たとえその需要が急速に拡大し、費用を軽減させる技術変化が効果的でないとしても、著しい稀少性にみまわれることはなさそうである。対照的に、累積供給曲線が不連続もしくは急激に上昇する部分を含む鉱産物では、稀少な状態に陥りやすい。

要するに、次の 50 年以降における鉱産物の将来の利用可能性は不明ではあるものの、全くわからないわけではない。技術変化と遠い将来の影響を予想する困難さのために、どれほど速く社会が累積供給曲線を昇るのか、もしくは曲線がどれほど下方へ移行するかを決定することはできないが、曲線の形状について多くを学ぶことができる。社会が鉱物の稀少性を危惧するならば、累積供給曲線の形状を決定するために地質情報の修得に投資することによって、長期に枯渇がもたらす脅威について多くの有益な洞察を可能にするであろう。

注　釈

1. この章は私が長年、地質学者や地球科学者に行った講義に基づいている。Tilton and Skinner(1987) と Tilton(1991) にも書かれた内容である。
2. 第2章の Kesler からの引用文で示されるように、この見方は広く普及しているが、普遍的ではない。
3. 悲観派としてよく知られている人々には、Kesler(1994)、Meadows and others(1972)、Meadows and others(1992)、Park(1968)、Youngquist(1997)がいる。
4. Julian L. Simon(1980, 1981) はおそらく最もよく知られた楽観派である。ほかには Adelman(1973, 1990)、Beckerman(1995)、Lomborg(2001) がいる。
5. 多くの悲観論者は、Ayres(1993, 199) からの次の引用文で明確に述べられているように、この点を認識していることを指摘しておこう：「資源枯渇は地球自体から物質の物理的な消失を意味することではない。それが意味することは、通常捉えられている意味では、形態が『望ましい』から『望ましくない』に変化することである。化石燃料や金属鉱石のような元素の『有用』な形態（もしくは化合物）が使い尽くされて、『無用』（たとえば劣化物）もしくは『有害』な形態や化合物（たとえば、廃棄物や汚染物質）に変換される。」
6. もちろん、これは再生資源の採取がその再生能力を超えないと仮定する。
7. Lasky の研究の興味深い分析としては DeYoung(1981) を参照。
8. たとえば、Singer and others(1975) は、現在の銅生産のおもな供給源である三つの異なるタイプの銅鉱床　― ポーフィリー、塊状硫化鉱、層準規制 ―　において、品位によって鉱石の量がどのように変化するかを分析した。ポーフィリー鉱床と層準規制鉱床では、品位の低下により量が増加する有意な傾向が見られなかった。塊状硫化鉱床と彼らが検討したすべての鉱床の合計では、量と品位の間に有意な負の関係が存在した。しかし、統計学的と地質学的な理由のために、彼らは、この結果の外挿には注意を促したうえで、非常に低品位ではあるが量の大きな銅鉱床が存在すると結論した。このような鉱床は、とくに、おそらく現在採鉱されている三つの主要なタイプとは非常に異なったものであろうということを強調している。Singer and others の銅の研究のほかに、ニッケルでは Foose and others(1980) を、そしてウランと銅に関しては Harris(1984) を参照。

9. Skinner 説を支持する例外の一つは Cox(1979) である。
10. 使用強度に関する議論の多くは、Radetzki and Tilton(1990) とそこで引用された参考文献に基づく。
11. 材料使用強度に関する文献の最近の包括的な検討で、長期にわたる下降トレンドに関してより懐疑的なものとしては Cleveland and Ruth(1999) を参照。
12. 以前のトレンドを跳ねかえし、1990 年代にはアメリカと世界全体で銅とその他少数の金属の使用強度が上昇したことは興味深い(Crowson 1996)。この驚くべき展開の説明の一部、通信および電子機器の近年の需要増加にある。しかし、上昇トレンドがどれほど継続するかは明らかではない。
13. Labson and Crompton(1993) はさらに進み、一般的に使用強度の時系列データが定常であると結論できないので、金属使用強度の過去のトレンドが将来の推論にほとんど役に立たないと結論づけた。しかし Labson(1995) は、Tilton(1989, 1990) とその他研究者が 1970 年代初期に起こったと主張する使用強度の構造的断絶を考慮に入れた後、この結論を修正した。
14. もちろん、一次生産が安価であっても、リサイクルを必要とするもしくは助成する公共政策は、二次生産の明るい将来を確保する。第 7 章ではリサイクルを促進するための公共政策の役割を検証する。
15. このような研究の事例として、石油では Bohi(1999)、石炭では Darmstadter(1999)、鉄鉱石では Manners(1971)、鋼では Barnett and Crandall(1986)、銅では Tilton and Landsberg(1999)、鉱業一般的については National Research Council(1990, 2002) を参照せよ。

参考文献

Adelman, M.A. 1973. *The World Petroleum Market*. Baltimore, MD: Johns Hopkins University Press for Resources for the Future.

——. 1990. Mineral Depletion, with Special Reference to Petroleum. *Review of Economics and Statistics* 72(1): 1-10.

Ayres, R.U. 1993. Cowboys, Cornucopians, and Long-Run Sustainability. *Ecological Economics* 8:189-207.

——. 1997. *Metals Recycling: Economic and Environmental Implications*. Third ASM International Conference, Barcelona, Spain, ASM International.

Barnett, D.F., and R.W. Crandall. 1986. *Up From the Ashes: The Rise of the Steel Minimill in the United States*. Washington, DC: Brookings Institution.

Barnett, H.J., and C. Morse. 1963. Scarcity and Growth. Baltimore, MD: Johns

Hopkins University for Resources for the Future.

Beckerman, W. 1995. Small Is Stupid. London: Duckworth.

Bohi, D.R. 1999. Technological Improvement in Petroleum Exploration and Development. In Productivity in Natural Resource Industries, edited by R.D. Simpson. Washington, DC: Resources for the Future, 73-108.

Campbell, C.J. 1997. *The Coming Oil Crisis*. Brentwood, U.K.: Multi-Science Publishing Company.

Cleveland, C.J. and M. Ruth. 1999. Indicators of Dematerialization and the Materials Intensity of Use. *Journal of Industrial Ecology* 2(3): 15-50.

Cox, D.P. 1979. The Distribution of Copper in Common Rocks and Ore Deposits. In *Copper in the Environment, Part 2*, edited by J.O. Nriagu. New York: Wiley and Sons, 19-42.

Crowson, P.C.F. 1996. Metals Demand and Economic Activity: Some Recent Conundra. In *1996 Proceedings of the Mineral Economics and Management Society Fifth Annual Professional Meeting*, edited by Henry N. McCarl. Montreal, Quebec: Mineral Economics and Management Society, 28-42.

Darmstadter, J. 1999. Innovation and Productivity in U.S. Coal Mining. In *Productivity in Natural Resource Industries*, edited by R.D. Simpson. Washington, DC: Resources for the Future, 35-72.

Deffeyes, K.S. 2001. *Hubbert's Peak: The Impending World Oil Shortage*. Princeton, NJ: Princeton University Press.

DeYoung Jr., J.H. 1981. The Lasky Cumulative Tonnage-Grade Relationship-A Reexamination. *Economic Geology* 76: 1067-1080.

Foose, M.P., and others. 1980. *The Distribution and Relationships of Grade and Tonnage Among Some Nickel Deposits*. U.S. Geological Survey Professional Paper 1160. Washington, DC: U.S. Geological Survey.

Gordon, R.B., and others. 1987. *Toward a New Iron Age? Quantitative Modeling of Resource Exhaustion*. Cambridge, MA: Harvard University Press.

Harris, D.P. 1984. *Mineral Endowment, Resources, and Potential Supply: Theory, Methods for Appraisal, and Case Studies*. Oxford: Oxford University Press.

Harris, D.P., and B.J. Skinner. 1982. The Assessment of Long-Term Supplies of Minerals. In *Explorations in Natural Resource Economics*, edited by V.K. Smith and J.V. Krutilla. Baltimore, MD: Johns Hopkins University Press for Resources for the Future, 247-326.

Hubbert, M.K. 1962. *Energy Resources: A Report to the Committee on Natural*

Resources. National Academy of Science Publication 1000D. Washington, DC: National Academy Press.

Hubbert, M.K. 1969. Energy Resources. In *Resources and Man*, edited by P. Cloud. San Francisco: W.H. Freeman, 157-239.

International Iron and Steel Institute. 1972. *Projection 85: World Steel Demand*. Brussels: International Iron and Steel Institute.

Kesler, S.E. 1994. *Mineral Resources, Economics and the Environment*. New York: Macmillan.

Labson, B.S. 1995. Stochastic Trends and Structural Breaks in the Intensity of Metals Use. *Journal of Environmental Economics and Management* 29: S34-S42.

Labson, B.S., and P.L. Crompton. 1993. Common Trends in Economic Activity and Metals Demand: Cointegration and the Intensity of Use Debate. *Journal of Environmental Economics and Management* 25: 147-161.

Lasky, S.G. 1950a. Mineral-Resource Appraisal by the U.S. Geological Survey. *Colorado School of Mines Quarterly* 45(IA): 1-27.

——. 1950b. How Tonnage and Grade Relations Help Predict Ore Reserves. *Engineering and Mining Journal* 151(4): 81-85.

Lomborg, B. 2001. *The Skeptical Environmentalist*. Cambridge: Cambridge University Press.

Malenbaum, W. 1973. *Material Requirements in the United States and Abroad in the Year 2000: A Research Project Prepared for the National Commission on Materials Policy*. Philadelphia: University of Pennsylvania.

Malenbaum, W. 1978. *World Demand for Raw Materials in* 1985 *and 2000*. New York: McGraw-Hill.

Manners, G. 1971. *The Changing World Market for Iron Ore, 1950-1980*. Baltimore, MD: Johns Hopkins University Press for Resources for the Future.

McKelvey, V.E. 1973. Mineral Resource Estimates and Public Policy. In *United States Mineral Resources*, Geological Survey Professional Paper 820, edited by D.A. Brobst and W.P. Pratt. Washington, DC: Government Printing Office, 9-19. This article also appears in *American Scientist* 60: 32-40.

Meadows, D.H., and others. 1972. *The Limits to Growth*. New York: Universe Books.

——. 1992. *Beyond the Limits*. Post Mills, VT: Chelsea Green Publishing.

National Research Council. 1990. *Competitiveness of the U.S. Minerals and Metals Industry*. Washington, DC: National Academy Press.

——. 2002. *Evolutionary and Revolutionary Technologies for Mining*. Washington, DC: National Academy Press.

Park Jr., CP. 1968. *Affluence in Jeopardy: Minerals and the Political Economy*. San Francisco: Freeman, Cooper and Company.

Radetzki, M., and C Van Duyne. 1985. The Demand for Scrap and Primary Metal Ores after a Decline in Secular Growth. *Canadian Journal of Economics* 18(2): 435-449.

Radetzki, M., and J.E. Tilton. 1990. Conceptual and Methodological Issues. In *World Metal Demand: Trends and Prospects*, edited by].E. Tilton. Washington, DC: Resources for the Future.

Simon, J.L. 1980. Resources, Population, Environment: An Oversupply of False Bad News. *Science* 208: 1431-1437.

——. 1981. *The Ultimate Resource*. Princeton, NJ: Princeton University Press.

Simpson, R.D. 1999. *Productivity in Natural Resource Industries*. Washington, DC: Resources for the Future.

Singer, D.A. 1977. Long-Term Adequacy of Metal Resources. *Resources Policy* 3(2): 127-133.

Singer, D.A., and J.H. DeYoung Jr. 1980. What Can Grade-Tonnage Relations Really Tell Us? *Resources Minerales, Memoire du BRGM no. 106*.

Singer, D.A., and others. 1975. Grade and Tonnage Relationship among Copper Deposits. *Geology and Resources of Copper Deposits, Geological Survey Professional Paper 907-A*. Washington, DC: Government Printing Office for the U.S. Geological Survey.

Skinner, B.J. 1976. A Second Iron Age ahead? *Ame1ican Scientist* 64: 158-169.

——. 1979. Earth Resources. *Proceedings of the National Academy of Sciences* 76(9): 4212-4217.

——. 2001. *Exploring the Resource Base*. Unpublished notes for a presentation to the Conference on Depletion and the Long-Run Availability of Mineral Commodities held in Washington, DC, April 22. New Haven, CT: Department of Geology and Geophysics, Yale University.

Tilton, J.E. 1989, The New View of Minerals and Economic Growth. *Economic Record* 65(190): 265-278

——. 1990. *World Metal Demand: Trends and Prospects*. Washington, DC: Resources for the Future.

——. 1991. The Changing View of Resource Availability. *Economic Geology*

(Monograph 8): 133-138.

——. 1996. Exhaustible Resources and Sustainable Development: Two Different Paradigms. *Resources Policy* 22(1 and 2): 91-97.

——. 1999. The Future of Recycling. *Resources Policy* 25: 197-204.

Tilton, J.E., and H.H. Landsberg. 1999. Innovation, Productivity Growth, and the Survival of the U.S. Copper Industry. In *Productivity in Natural Resource Industries*, edited by RD. Simpson. Washington, DC: Resources for the Future, 109-139.

Tilton, J.E., and B.J. Skinner. 1987. The Meaning of Resources. In *Resources and World Development,* edited by D.J. McLaren and B.J, Skinner. New York: John Wiley & Sons, 13-27.

U.S. Census Bureau. 2001a. Historical Estimates of World Population. http://www.census.gov /ipc/www /worldhis.html.

——. 2001b. World Population Information.
http://www.census.gov/ipc/www/world.html.

U.S. Energy Information Administration. 2000. *Annual Energy Outlook 2001 With Projections to 2020*. Washington, DC: Government Printing Office.

U.S. Geological Survey. 2001. *Mineral Commodity Summaries 2001*. Washington, DC: Government Printing Office.

Youngquist, W. 1997. *GeoDestinies*. Portland, OR: National Book.

第6章
環境費用と社会的費用

第2章で指摘したように、1990年代は鉱産物の長期利用可能性に関する議論に変化が起こった。鉱産物の採掘、製錬、利用によって被る環境費用とその他の社会的費用が、将来の利用可能性を制限するかもしれないとの危惧についてである。これは、鉱物資源の枯渇に関する長く続いてきた懸念をわきに押しやることになった。仮に新技術によって公示価格が大幅に高くならずに低品位鉱床の開発が可能になるとしても、社会に課される環境被害が、生産者と消費者のいずれもが負担しないその他の社会的費用とともに、やがて鉱産物の広範囲な利用を妨げることになるかもしれないという議論である。

社会的費用は、特定の活動に関連するすべての費用を含んでいる。それは生産企業、別の観点からみると消費者が支払う、労働、資本、材料のような費用も含む。これらは資源を利用する企業もしくは関係者が支払うので、「内部費用（または私的費用）」と呼ばれる。

また、社会的費用はあらゆる「外部費用」、しばしば単に「外部性」と呼ばれる費用も含んでいる。これらは、それを発生させる企業と消費者以外の社会の構成員によって負担される費用のことである。たとえば、自動車の所有者はドライブに出かけると、汚染、騒音、渋滞という形態の外部費用を発生させる。発電所における化石燃料の燃焼は、空気中に微粒子などの汚染物質を排出するが、企業が支払いを求められたり、罰金を科されないのならば、その企業と最終的にはその消費者が発電にかかる全費用を支払うことにはならない。費用の一部は発電所の風下に住んでいる人々に課されることになる。

外部費用は問題を引き起こす。財の市場価格は生産の全費用を反映していな

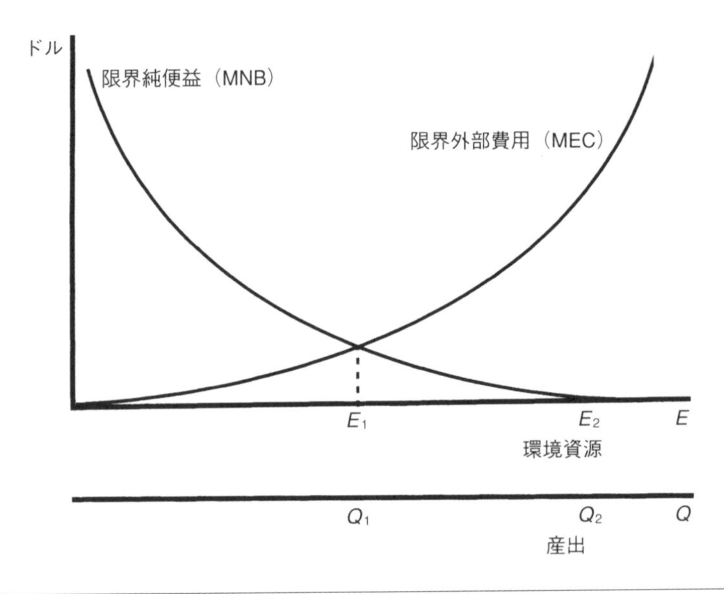

図 6-1. 環境資源の最適利用
a　MNB（Marginal Net Benefits）曲線は、環境資源を追加的に 1 単位（さらなる 1 ヘクタールの森林伐採）使用することによる社会の限界純便益が、環境資源の使用が増加するにつれてどのように変化するかを示す。この便益は鉄鉱石を余分に採掘することで鉱山会社が得る追加的な利益を反映している。
b　MEC（Marginal External Costs）曲線は環境資源を追加的に 1 単位（さらなる 1 ヘクタールの森林伐採）使用することによって、限界外部費用 — 鉱山会社が支払わない環境費用とその他の社会的費用 — が、環境資源の利用が増加するにつれてどのように変化するかを示している。

いので、事実上、社会が財の外部費用分を補填することになる。これは、産出物の最後の 1 単位の社会への費用がその便益を超過するという意味で、最適な生産量を超えたものになる。さらに生産者は自ら支払わないので、環境などの資源を保護しようとする気持ちを持たない。したがって、これら貴重な資源が過剰に消費されることになる（図 6-1. と Box 6-1. 参照）。

それに加えて本書の目的に従うと、第 4 章で検討したような実質の費用や価格が、二つの理由から鉱物資源の利用可能性の信頼できる指標ではないことを、外部費用によって意味づけできるかもしれない。一つに、外部費用が除外されてしまうと、鉱産物の完全な社会的費用（社会がある鉱産物を 1 単位余計に得るためにあきらめなくてはならない財とサービスの量）はより高く、おそらく

Box 6-1. アマゾンにおける鉄鉱石採掘

図 6-1. は外部費用に導かれたゆがみを示し、そして社会の観点から見た環境資源の最適使用を示す。横軸は環境資源の消費を表すか、あるいは資源の消費（E）により被った社会的費用とともに環境損失の大きさを示す。実際には、これらの費用は適切な代理財によって測定できるかもしれない。たとえば、Mendonça(1998) および Mendonça and Tilton(2000) は、アマゾン地域で鉄鉱石採掘によって生じる環境損失のおおまかな代用として伐採された森林のヘクタール数を使用した。環境資源の使用（森林伐採）が産出（鉄鉱石生産量）と比例で増加すると仮定すると、横軸は環境に被害を及ぼしている財の産出量（Q）も反映する。この場合には、産出量（Q）を示す二つ目の線を、横軸（E）の下に描き入れることができる。縦軸は、ドルもしくは他の通貨で表した環境資源使用に関する便益と費用を示している。

限界純便益（MNB）曲線は、環境資源をさらに1単位使用すること（さらなる1ヘクタールの森林伐採）により得られる追加もしくは限界の純便益を示す。これは異なる視点からは、鉱山会社が結果として得ることになる余分の利益に反映されるのと同じく、社会が採掘できる追加的な鉄鉱石から得られる追加的便益に依存することになる。産出が増加するにつれて、産出1単位あたりの便益が低下する傾向があるので、曲線は下方へ傾く。限界外部費用（MEC）曲線は、環境資源をさらに1単位使用した（たとえば、さらなる1ヘクタールの森林伐採）結果として、追加的もしくは限界の外部費用　― 鉱山会社ではなく社会が負担しなくてはならない環境費用やその他の社会的費用 ―　を表す。環境資源の供給が低下するにつれて、残りの環境資源の単位価値が上昇する可能性が高いので、この曲線は上方に傾く。

社会にとって、アマゾンにおける採掘から得られる総純便益は、鉄鉱石を生産するためにさらなる1ヘクタールの土地を使用する追加的費用が、追加的便益とちょうど等しくなるときに最大化する。これは二つの曲線において、鉱山の産出 Q_1 と森林伐採 E_1 が交差する点に相当する。この状況ではある程度の環境の使用　― ある程度の環境損失 ―　が望ましい。もちろん、このようにならない場合もある。いくつかの事例では、曲線 MEC はどのような産出および環境資源使用においても曲線 MNB の上方に位置するかもしれない。これは、いかなる産出量であっても、生産の社会的費用がその社会的便益を超過してしまうことを意味し、バランスからすると、いずれの生産量でも社会全体の福祉を増加させることはなく、減らすことになるであろう。

しかしどちらにせよ、鉱山会社は曲線 MEC に反映される環境費用を支払わないので、MNB 曲線がゼロに達するまで生産を続けるインセンティブを持っている。何らかの政府の介入がなければ、産出が Q_2 に、環境資源使用が E_2 に達するまで生産を続け、環境損失をもたらすであろう。その結果は多すぎる生産と多すぎる汚染の両方もたらすことになる。

本文で指摘するように、公共政策は、鉱業を規制し、E_1 の環境資源を使用して Q_1 で生産するように要求するか、もしくは使用される環境資源または生産される鉄鉱石の産出1単位ごとに $0C$ ドルの税金を課すことで、この状況を修正することができる。税金が産出でなく環境資源の使用に課せられるなら、企業は産出1単位あたりに必要とされる環境資源を減らす新技術などを開発する動機を持つことになる。これによって鉱産物の産出を表す水平軸を延長し、MNB 曲線も外側に移行する。なぜならば所定量の環境資源で今より大きい産出を生産できるからである。

この理由などにより、産出と正比例して環境資源の使用が増加するとの仮説は、実際には成り立たないかもしれない。この場合も、環境資源の最適な使用は、MNB と MEC 曲線の交点で決定され、さらなる1単位の環境資源を使用することで得られる限界純便益は限界外部費用とちょうど等しくなる。しかし産出と環境資源の使用の関係はもはや、図 6-1. で示唆されるような線形関係ではない。

実質費用と価格について入手可能なデータによって示されるよりはるかに高いものになってしまう。

第二に、鉱物生産に関連する外部費用が、内部費用とは異なったペースで変化すると、利用可能性を示す傾向に偏りが生じる。たとえば、鉱山会社が担う費用と要求する価格は安定しているが、外部費用が上昇している場合、報告された費用と価格は利用可能性について過剰に好ましい傾向を示す[1]ことになる。そして過去から将来に移ると、もし環境費用などの社会的費用が急速に上昇することが予想されるならば、予測される累積供給曲線は、内部費用のみを考慮した徐々に上昇する曲線から、鉱産物の将来の利用可能性に関して好ましくない、より急な勾配を持つ曲線（図 5-1. を参照）へと変わる可能性がある。

ほとんどの政策アナリストが、環境費用やその他の外部費用によって生じる問題に対して勧める解決策は、政府が産出物もしくは環境破壊を最適なレベルに制限することである。産出物は望ましいが環境破壊は望ましくないので、産出物よりも環境破壊を制限するほうが、鉱山会社に環境破壊（悪いもの）を社会的に最適なレベルに制限しつつ、産出物（良いもの）を増加させるのに優位である。

たとえば、政府は鉱山会社に一定の水質もしくは大気汚染基準を満たす操業を行うように規制を課すかもしれない。その代わりとして、「ピグー税」としばしば呼ばれる税を政府が企業に課すこともある。これはイギリスの経済学者 Arthur Pigou が外部性の問題の解決策として初めて提案したものである。たとえば、適切な額の税金を環境破壊に対して課すことは、生産者が生産を制限し、環境破壊を望ましいレベルに減少させることを促進する。くり返しになるが、社会が止めさせたいのは環境破壊であり生産ではないので、環境破壊に対する税金が望ましい。

さらに、もう一つの可能性は、環境資産の財産権を民間に開放し、取引可能な許可証の市場を作ることである。たとえば、アメリカ政府は Stavins(1998) が「偉大な政策実験」と呼ぶ Acid Rain Program（酸性雨プログラム）のもと、生産者に年間 890 万トンの二酸化硫黄を排出する権利を効果的に与えた (Ellerman 1999)[2]。もちろん、生産者は実際には、この環境資産を所有する以前から使っていた。しかし、所有権は、多くの重要な展開をもたらした。今日では企業はこの資産の売買が可能であり、それをできる限り効率的に利用しようとする追加的な動機が生まれ出された[3]。規制者としての政府の役割は劇的に減少し、変化した。全般的にプログラムは、環境と経済の双方に相当な便益をもたらしたように考えられる。

歴史的に、政府は主として「直接規制」(「指令と統制」command-and-control regulations) に依存してきており、それは企業と消費者の行動を直接統治するものである。企業に排ガス洗浄装置（スクラバ）や触媒コンバータのような特定の技術を使用するように要求するのは、直接規制の一例である。企業が所定の期間に環境に排出できる汚染物質の総量を規制することも同様である。しかしながら、過去数十年は、汚染者に対する経済的インセンティブを変えることによって間接的に行動に影響を与える、排出への課税や取引可能な許可証スキームのような対策への支持が増加してきている。

政府が企業に、消費する環境資源への支払いを強制することにより、労働や資本などの投入物を節約するのと同様に、環境破壊を減らすように努力することを促進させる。これは時間とともにより少ない汚染でより多くの生産を可能にする大きな利点がある。それに加えて、経済的なインセンティブは、鉱物生産やその供給にかかわる企業にも、採掘に関連する環境破壊を減らす新技術の開発を促す。最終的に、鉱産物の価格は生産の全費用をより厳密に反映するので、真の稀少性の価値を示すことになる。

生産者と消費者に環境費用やその他の社会的費用の支払いを強制すると、これらの費用による鉱産物の長期利用可能性への脅威は、緩和もしくは完全に排除することが可能である。一度これが行われると、過去に労働、資本、その他の資源生産の内部費用を減少させたように、新技術が、採掘と製錬に関連するこれまでの外部費用を減少させることになろう。

しかし、このことが起きるには、公的な政策立案者が、企業に対して生産に関連する環境費用などの社会的費用を支払うことを強いる能力と意志を持つことが求められる。そしてこれらの費用が完全に内部化されるには、企業が必要な技術を開発する能力を持たなくてはならない。この章の後半は二つの必要条件を検討するが、達成の見込みが高い第二の条件から始めよう。

技術と環境費用

1 世紀前、いや 50 年前でさえ、鉱物生産企業はほとんど環境的な制限を受けていなかった。主として環境は自由財とみなされ、企業やその他の人々が望むままに利用した。結果として、環境費用を減少させるインセンティブはほとんどあるいは全くなかった。エネルギー燃焼による二酸化硫黄、粒子状物質、その他の汚染物質が空気中に放出された。採掘によって出る廃棄物は地表や近くの川に捨てられた。採掘を終えた鉱山は、ほとんど埋め立てることなく放棄された。

この状況はこの数十年間で大きく変化した。経済が拡大するにつれて環境はより貴重になり、社会はより豊かになった。世界中の政府が、鉱物生産者やその他の企業に規制を課してきた。この展開のなかで見られる興味深い副産物の一つは、動機付けがなされると、鉱物生産企業は他の企業と同じく、産出物 1 単位あたりの環境費用を十分に減らせる事例が蓄積してきたことである。環境費用は、資本や労働の費用のように新技術による費用削減効果を受ける余地が残されているように思われるが、おそらく鉱山部門で環境費用を減らす努力が最近まで活発に行われてこなかったために、現在のところ、きわだって見えるのであろう。

われわれが知る限り、鉱業部門におけるこれらの事例の包括的な検討はまだ行われていないが、いずれにせよここでは必要ではない。いくつかの事例で十分であろう。最も興味深い事例にアメリカの鉛産業がある。図 6-2. は、一つ目は 1970 年、二つ目は 1993 ～ 1994 年における鉛の供給源、利用、最終的な廃棄または処分について示したもので、興味深いパターンを呈している。消費はこの期間に約 15 %増加しているが、リサイクルと二次生産が倍以上になり、国内の一次生産と純輸入量が低下した。全体の消費が増加しているにもかかわらず、塗料、ガソリンなどの多くの用途で環境に廃棄される鉛は 50 %以上減少した。規制によって自動車のバッテリーにリサイクルを義務化し、塗料とガソリンにおける鉛の使用を健康上の理由から削減もしくは廃止した政策は、この歓迎すべき進展をもたらしたことで、たいへん大きな功績となった。

カナダのアルミニウム産業はもう一つの例を提供している。図 6-3. が示すように、1972 年から 1995 年の間に粒子状物質、フッ化物、多環芳香族炭化水素 (PAHs)[4] の排出をそれぞれ 67、69、86 %削減しながら、産出量を倍以上に伸

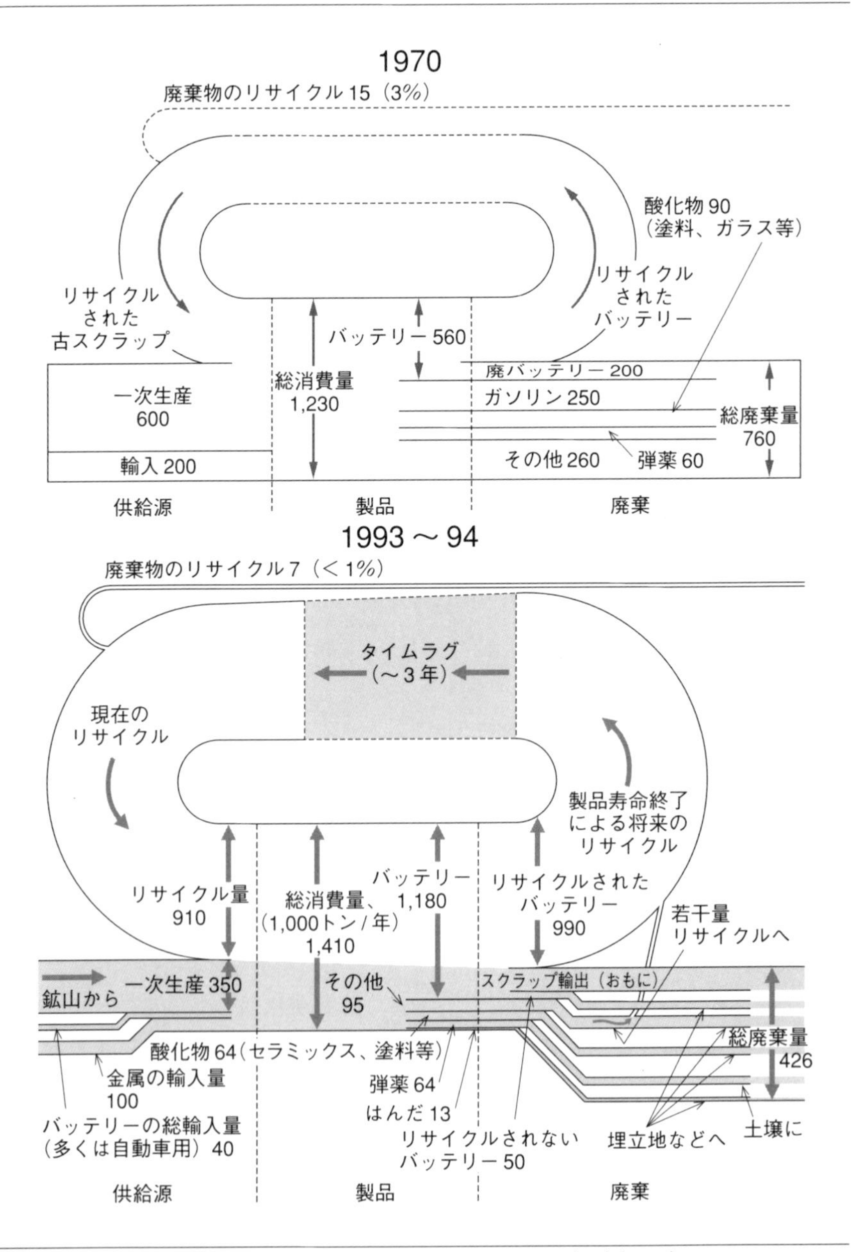

図 6-2. アメリカにおける鉛のフロー、1970 年と 1993 ～ 1994 年（千トン）

出典： Brown and others(2000, 14) で引用された Interagency Working Group on Industrial Ecology, Material, and Energy Flows による。

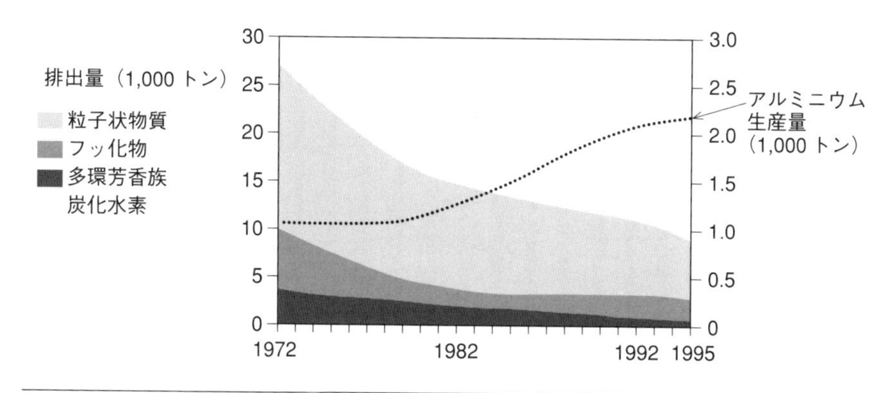

図 6-3. カナダのアルミニウム産業の生産量と大気への排出量、1972 ～ 1995 年
出典： Aluminum Industry Association(1997) で引用された Ministere de l'Environnement et de la Faune du Quebec より。

ばした。

最近 Alcoa（アルコア社）は、アルミナをアルミニウムに製錬するための発電に、燃料電池を使用する新しいプロセスの特許を申請した。商業的な発展には 10 年以上を要するかもしれないが、アナリスト(Van Leeuwen 2000) は、石炭火力発電所を使用する従来の技術で、アルミニウム 1 ポンドあたり 17 ポンド近く生成される二酸化炭素の量を 2.3 ポンドまで、すなわち 85 %以上も下げることができると考えている。新技術はまた、アルミニウムの製錬費用も相当に下げることになろう。

もう一つの興味深い事例は、チリ北部のチュキカマタ銅製錬所である。図 6-4. が示すように、1980 ～ 1999 年の期間で、この製錬所はヒ素排出の回収量を 35 %から 90 %に、そして二酸化硫黄排出の回収量をゼロから 80 %にまで増やした。チュキカマタを所有する国営企業 Codelco（コデルコ社）は、この改善を実現するために 6 億ドル以上を費やした。これは膨大な金額であるが、チュキカマタはこの期間でも世界最大でかつ最低費用の銅生産者の一つとして留まることができた。

チュキカマタにおける二酸化硫黄排出の削減は劇的であるが、排出の 99 %以上を捕集する技術が今日では存在する。結果として非常に厳しい環境基準を持つ国、たとえば日本の製錬所は、二酸化硫黄排出の 1 ～ 2 %を除いたすべてを

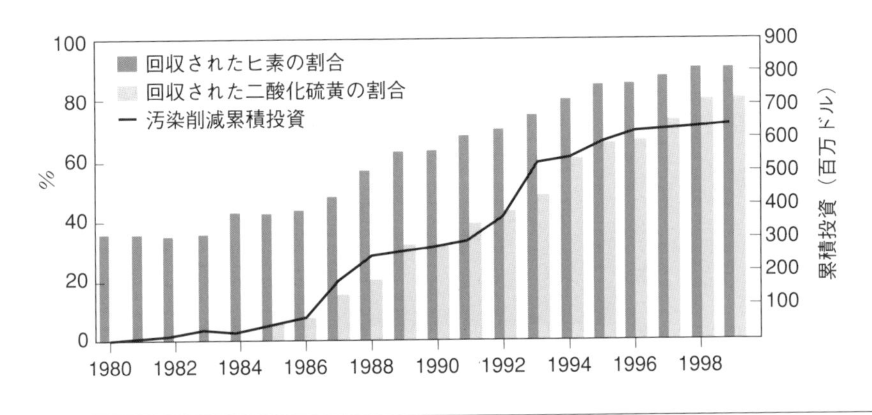

図6-4. 回収されたヒ素と二酸化硫黄排出の割合とチリ・チュキカマタ製錬所の汚染削減に対する累積投資、1980～1999年

注：1995年以降の数値は予測である。

出典：Corporacion Nacional del Cobre de Chile (Codelco)

除去する。残念ながらこれとは反対に、相当数の製錬所がいまだに排出ガスの100％を大気中に放出している。

すなわち、二酸化硫黄汚染に対する新技術のインパクトは、公共政策がこれらの環境費用を内部化しているところでは大きいが、そうでない場所ではきわめて小さい。今日、最も優秀な製錬所は数十年前に製錬所が1トン生産するために生成した二酸化硫黄汚染よりも少ない量で100トンの銅を生産している。それに加えて、世界の銅のおよそ4分の1がSX-EW法（溶媒抽出-電解採取法）という新しい湿式製錬プロセスによって生産され、これは伝統的なプロセスの精錬段階を完全に回避している。結果として、この方法で生産される銅は二酸化硫黄を排出しない。

環境などの懸念から鉱物の採掘が禁止された事例もある。そこでは、社会が高く評価する環境資源などの資産を保全することと、採掘や製錬とが簡単に両立しない。国立公園の自然の美しさ、遠隔地の手つかずの自然、先住民の文化と習慣、生物多様性などを損なう活動が、しばしばあげられる例である[5]。これらの状況下では、どのような技術革新をもってしても容認できるレベルまで費用を減らすことは不可能となっている。また、公共政策によって鉱物の採掘を禁止する区域が設定されるかもしれない[6]。現実に、このような禁止区域は、ここしばらくの間、多くの国で実施されてきており、増加している。このことは、新技術の費用削減効果が枯渇による費用増大効果を相殺することをいっそう困難にしているが、最近の歴史が示すように、禁止区域と資源の採掘費用低下とが相容れなくもない。この問題は、第7章でもう一度取り上げよう。

外部性の内部化

前節によれば、銅の製錬から生じる二酸化硫黄排出のほとんどを捕集する技術は、現在確立されている。しかし、この技術の普及は、世界的にかなり不均一で、公共政策が環境費用を内部化することに成功しているかあるいは失敗しているかによる。ここで鉱産物の長期利用可能性において環境の制約を避けるために必要な第一の条件に戻る。すなわち、公共政策は、企業にその活動に関連する環境費用などの外部費用のすべてもしくは大部分を支払うことを強制しなくてはならない。これにはつまり、(1)政府が相当な正確さでこれらの費用を認識し測定することと、(2)政府が、企業に費用の少なくとも大部分を負担することを強いる手段と意志を保有していることが必要である。

環境と社会財の評価

労働、資本など、鉱産物の採掘と製錬に費やされる投入を評価するには、市場価格が良い出発点になろう。しかし、きれいな水、原生地域、先住民文化、生物多様性のような多くの社会財は市場で取引されておらず、その価値を評価するには別の手段が必要とされる。過去数十年の間に、経済学者らは必要な手法を考案することに多大な労力を費やしてきた。

一つのアプローチは、前に指摘したごく最近の社会実験であり、環境財の市場を実際に創造することを必要とする。たとえば、アメリカ政府はここ数年、国内の石炭火力の電力会社に二酸化硫黄の排出許可証を取引することを認めてきた。現行の許可証価格より安価に二酸化硫黄排出を減らすことができる企業は、許可証を売るインセンティブを持つ。状況が正反対ならば、企業は許可証を買うインセンティブを持つ。したがって、許可証の市場価格は、二酸化硫黄排出を 1 トン追加的に減少させるのに可能な最低費用を反映する。許可証の合計数量が二酸化硫黄汚染の最適レベルを反映する場合（そしてその場合に限り）、この価格は二酸化硫黄排出の追加的な 1 トンに関する社会的費用の良い基準を提供することになる。おそらくさらに重要なことは、この許可証は企業に二酸化硫黄排出の費用を内部化することを強いることであろう。

別のアプローチは実際の消費者行動から推察することである。たとえば、同じ住宅であるが、空港からの距離が異なる住宅の価値は、空港への飛行機の発着によって起こる騒音公害に対し人々が追加的に住宅費用をどれほど支払うかによって差が生まれ、これが社会的費用の推定に寄与する。湖、小川などのレクレーション施設を利用するための旅行などの費用を測定する研究も、人々が天然資源に置く価値の指標を提供する。

第三のアプローチ、仮想評価法（CVM）は、主として未利用もしくは存在価値によって高い価値を持つ環境財を評価するために考案された。たとえば、多くの人々は、アマゾンの熱帯雨林、アラスカの手つかずの自然、フィリピンのミンダナオ島に住むブラーン族の先住民文化に積極的な価値を見出すだろう[7]。これは、アマゾン、アラスカ、あるいはフィリピンに実際に旅行する計画がなくても変わらないであろう。このような未利用価値は、実際には測定することが非常に困難であることがわかってきた。仮想評価法は通常特定のガイドラインに沿った体系的な方法で、人々にこれらの資源を保護するためにいくら支払うか（支払い意志額、WTP）を問いかけることによって行われる。アメリカでは政策の評価や資源被害査定の訴訟の場合などで使われてきた。一般的に、大きな未利用価値を持つ環境費用などの社会財を評価するには、唯一の利用可能な手法であると考えられている。

しかし、仮想評価法は実際の行動に基づいていない部分がある、または関連さえしていないという理由で、論議の的になっている。調査された人々が、彼らが支払うと言った額を実際に支払う必要はない。専門家の間では、下手に設計された仮想評価の研究、たとえば回答者が十分な情報を与えられていないとか、質問が誘導的であるものは、非常に欠陥のある結果を導き出すだろうという意見で、広範に一致している。しかし、うまく設計された研究の信頼性につ

Box 6-2. コロネーションヒル・プロジェクト

公衆受容性（パブリック・アクセプタンス）、あるいはむしろその欠如が、仮想評価法を利用するうえで重大な問題となる。Cox(1994) はコロネーションヒルの金、白金、パラジウム鉱山の計画について、オーストラリアで起こった公開討論の分析において興味深い事例を示している。北部準州（ノーザンテリトリー）のカカドゥ保護地域の中に鉱床のおもな部分があるために、オーストラリア政府はこの計画の広範囲な費用対効果分析を実施した。分析では、その地域を保護する価値を推定するために仮想評価法が用いられた。分析はたいへん慎重に行われ、外国からの専門家の助力を受け、認められた手順に従って行われた。オーストラリアの人々は、保護地域内の採掘がもたらす可能性のある環境破壊について、強い感情を持っていたが、この研究は産業界とその他のグループから激しい反発を受け、政府は最終報告書から仮想評価に関する部分をすべて取り除いた。

いては、共通した見解はない（Box 6-2. を参照）[8]。

批評家は二つの非常に異なったレベルで仮想評価法の問題点を指摘する。第一に、多くの意見として、その方法論（人々にいくら支払うかを尋ねること）は、多数の理由から信頼できる回答を引き出させないと主張する。ここで問題とされているのは、仮想評価法が得ようとしている情報、すなわち真の支払い意志額を導き出せていないということである。

第二に、幾人かの批評家(Humphreys 1992, 2000; Sagoff 2000; Soderholm and Sundqvist 2000) は、基本的に哲学的もしくは倫理的な観点から仮想評価法の利用を問題としている。彼らによると、たとえ仮想評価法が信頼できる回答を引き出したとしても、社会の構成員すべてに対して支払い意志額を積算することは、社会が社会財に対して価値を定める適切な方法ではないとする。

彼らは、生物多様性、先住民文化、手つかずの自然、そして未利用の価値を持つその他の社会財が、国防あるいは安全な水道水のような公共財であることを認識するための別のアプローチが必要であると論じている。後者は仮想評価法を使って評価することができるが、これは政府がこのような公共財にいくら予算を使うかを決定する方法ではない。これらの決定はむしろ、人工的に構築された市場のシミュレーションではなく、社会のさまざまな利害関係をすり合わせる政治的なプロセスを通して行われる。これら二つのプロセスは非常に異なり、たいへん異なった結果に到達するかもしれない。

政治的プロセスは公開討論を可能にする。これは個人と組織に、自身の考えを公開し、問題についてより多くの情報を得て、他人の考えを聞く機会を提供する。仮想評価法への批判はまた、公共財に対する決定とは異なった基準と方法で、個人が私的財の購入を決定するという事実について、政治プロセスのほうがより容易に調整できると主張する。たとえば、市民として個人は自身の福祉に影響を及ぼさない政策や、負の影響を与える政策でさえ（教育のために税金を上げるなど）支持するかもしれない。政治的プロセスは仮想評価法よりも、このような支持を考慮し反映する可能性がより高くなっていると議論される。

確かなことは、両アプローチとも公共財の供給について裕福な人々に大きな発言権を与えることである（それは富む者が仮想評価で出された質問に費やせるお金をより多く持ち、政治的プロセスに影響するお金を持っているからである）。しかし、政治的プロセスでは、どんなに貧しくてもすべての市民が政治家を選出する一票を最終的には持っている。これによって貧しい人は置き去りにされたという感覚を持たないであろう。

環境資源を評価するためのさまざまな手法の検討は、包括的でなく完成の域からもほど遠く、そして鉱物の採掘に関する全社会的費用を測定することは、複雑かつ困難であることを十分に示している。この分野のツールは過去数十年の間にかなり進歩してきたが、環境資源の価値、とくに未使用価値に関する信頼性の高い評価は、さらなる進展が求められている。

現在の地球温暖化と気候変動に関する議論は、残念ながら、この分野の発展に必要な適切な事例となっている。何年もの論議のすえ、地球温暖化は現実のものであり、二酸化炭素などの温室効果ガスが主要な原因であるという共通認識が持たれつつある。しかし、気候変動のペース、社会的重要性と費用、自然に対する人類の寄与、温室効果ガスを発生させる産業と人間の活動を制限することによる便益については激しい議論が続いている。これらの不確実性は、石炭生産者などの鉱山会社が生み出す地球温暖化に関する外部費用の評価を、不可能でなくとも困難なものにしている。それでも、政府が適切な炭素税、もしくはこれらの外部費用を内部化するための法案を施行するには、その前に、これらの費用の知識が必要である。

手段と意志

ひとたび環境費用が価値評価もしくは政治的プロセスで決定されると、政府はこれらの費用を支払うことを生産者に強いる手段と意志を持たなくてはならない。初期の開発段階にある国々や計画経済から市場経済に移行途中の国々では、必要とされる行政能力の発展がさらに必要である。しかし、ほとんどの国でこれは問題にならない。手段は明らかに存在している。前に指摘したように、政府が頼るべきツールや手段に関して議論は進行中である。おそらく、最も一般的な手段である直接規制は、特定の技術や設備の使用を求め、所定の汚染物質の許容量の上限を設定することである。しかし、汚染削減の費用がより低くなるという理由で、汚染税のような経済的インセンティブが近年ますます好まれる傾向にある。施行上の問題は、直接規制と経済的インセンティブの双方にあるが、これらは、労働者の健康と安全あるいは課税の遵守のような公共政策の多くの分野に見られる問題に比べて、より困難な問題とは思われない。

すでに指摘した銅製錬所における二酸化硫黄排出回収に見られる大きな違いは、費用を内部化させる政府の意志が重大な問題になり得ることを示唆している。もちろん、これらの差は、環境費用などの社会的費用を内部化しようとしている国々の努力を妨げている不十分な制度上の能力の表れかもしれない。また、これらの差は、人口の少ない僻地における銅製錬に関する低い環境費用の表れかもしれない。さらに、古い製錬所が時間の経過にともなって新しいものに取り替えられるときに、最先端の環境制御技術が広く採用されることもあろう。したがって、現在の製錬所間の相違は一時的なものかもしれない。しかし、銅製錬所の寿命が長いことを考慮すると、「一時的」というのは数十年を意味することになろう。

そのうえ、政府の意志にも問題があるように見える。ロシアなどの経済移行段階の国家における国有鉱山会社の悲惨な環境の遺産は、心配を増長させる。明らかに政府内に利害の対立　― 政府が鉱山会社を所有、経営し、同時に容認できる環境保護の実践を保証する責任がある場合 ―　があれば、環境費用などの社会的費用の内部化に対する政府の意志の欠落から環境が被害を受けることがある。

もう一つの重大で、おそらくより恒久的な問題は、計画経済から離れて国有企業が民営化に向かう最近の動きのなかで、手工業的あるいは非公式な採掘が必然的にともなうことである（Box 6-3.を参照）。手工業的採掘は、非常に能率が悪く、しばしば優れた操業では採掘できる鉱石を地中に残してしまう。それはむしろ危険なことであり、また時には女性や子供たちを雇用することもある。産出物1単位あたりの環境への被害についてもはるかに大きい。たとえば、多くの金採掘の操業では、水銀を地表水と地下水に放流し、労働者自身だけではなく周辺の人々に危険な環境汚染をもたらす。酸性鉱山の排水、土壌侵食、森林伐採、河川の沈殿物堆積も頻発している問題である。鉱山跡地は通常はほとんど埋め立てられず放棄されている。

多くの点で手工業的採掘は、資源開発の劣悪な例であるが、ほかに生活方法を持たない何百万もの人々の最低水準の生活を支えている。結果として、政府はこれらの小規模鉱山の閉鎖に消極的であったり、多くの場合、環境やその他の規制をかけることもきらう。要するに、環境に大きな被害を与えるこれらの活動の原因となっている貧困と経済機会の欠乏が横たわっており、これを解消するような新しいイニシアティブを待ちわびる社会および政治の問題を、手工業的採掘は象徴している。

気候変動は、社会が効率的に外部費用を扱う取組みのなかで出会う問題のもう一つの例を提供する。前に指摘した不確実性がなくても、多くの独立した国民国家からなる世界で、温室効果ガスを削減しようとする国際規模の政治的意志の構築は手ごわいものである。発展途上国は問題を起こしたのは自分達ではないとして、成長を遅らせてまで温室効果ガスの排出を減らす必要はないと主張する。先進国は、少数の国だけの選択的な削減では効果があがらないと論ず

Box 6-3. 手工業的採掘

手工業的採掘は、最も単純で素朴な道具を用いた個人や小グループにより、非常に小規模に（しばしば不法に）行われている。International Labor Organization(1999) によると、世界的には約1千3百万人と1億人の扶養家族の暮らしを小規模採掘が支えている。これらの労働者の一部は、小規模に機械化された採掘に従事しているが、多くは手工業の分野で雇用されている。小規模採掘の労働者の数は正式な採掘分野の人数に匹敵し、過去5年間で年20％で増加したが、これは正式の採掘分野よりもはるかに速い速度である。

Barry(1996, 3) は、金の20％、ダイヤモンドの40％、そしてアフリカで生産されるほとんどの宝石用原石が手工業的採掘によるものだと推定している。ブラジルの金生産量も半分弱がこのような操業から得られているが、数年前の70％からみると下がってきた。金、ダイヤモンド、宝石用原石のほかに、手工業的採掘の鉱夫は、銅、銀、錫、亜鉛、石炭も採掘、生産している。

る。また、他の国は温暖化によって利益を得るかもしれないと考え、気候変動を防いだり逆転させたりする取組みを支持したくない。そして、すべての国は自国が考える公正な負担、それは常に他の国が提案するものより低くなっているが、以上のものを担いたくない。こう着状態になるのは明白である。

結　論

1990年代における非再生鉱物資源の長期利用可能性に関する議論の変化は、環境費用やその他の外部費用が資源開発に課すかもしれない制約に焦点を合わせることによって、興味深い問題をいくつか浮き彫りにしている。過去に、科学者とエンジニアは、前章で示したように、枯渇の費用増加効果を相殺するために必要であった新技術などの技術革新に成功した。

将来、環境費用などの社会的費用が、鉱物資源の生産と利用の総費用の重要

な構成要素になり　— これはあり得ることだが —、鉱物資源のより大きな利用可能性に向けて歓迎される傾向を持続するには、今まで見てきたように二つの条件が満たされる場合に限られる。第一に、鉱物生産者は科学技術の助けを借りて、枯渇による費用の上方への動きを相殺し続けなければならない。第二に、公共政策は、他の費用と同じく環境費用を生産者が減らすインセンティブとなるように、鉱物生産の環境費用などの社会的費用を内部化しなくてはならない。企業に、発生するすべての社会的費用の支払いを強いることに失敗すると、これらの費用を減らすための新技術を開発し採用する機会を逸し、社会が環境に与える被害を緩和するための最も効果的な武器が奪われることになる。

これらの二つの条件において、二つ目がより意欲的に見える。この条件の追求には、鉱産物の長期利用可能性を保証する取組みに、政策アナリスト、経済学者、政治学者、その他の社会科学者を巻き込むことになろう。実際、彼らの役割は、工学者や自然科学者よりも困難なものかもしれない。なぜならば環境資源を評価する問題と、政府がすべての社会的費用を内部化させる意志と能力を持っていることを保証する問題は、伝統的な技術的課題よりも困難であり、おそらくはるかに難しいものであろう。

注　　釈

1. このような状況が実際過去にどの程度起こり、第4章で論じた費用と価格のトレンドに偏りを持たせたかは明らかでない。人口増加、1人あたり所得の上昇、資源開発の増加は、世界の多くの地域で環境を保護する要求を増やした。人々の選好の変化は、鉱産物の生産と利用に関連する外部費用を増加させた。しかし、この展開の影響は、鉱産物生産者にかつての外部費用を内部化することを強いる環境規制などの公共政策が採用される機会が増加することによって、部分的もしくは完全に相殺されてきた。
2. 法律では、違憲となる財産の「差し押さえ」を主張する民間企業から訴訟を起こされることなく、政府が将来、許可証の数を減らすことを可能にするために、生産者に与えられる許可が財産権ではないと、特別に述べている。しかし、政府の許可証は、実質的な意味では財産権である。
3. 汚染物質が、二酸化硫黄排出の場合のように、現地または周辺地域に影響を及ぼすとき、全体的な上限を設けることに加えて、公共政策は取引が行われた後に、排出が数カ所の地点にはなはだしく集中しないことを保証しなければならない。

4. 炭素化合物の不完全燃焼から生じるPAHsは、おもに山火事と木材が焼却される結果である。アルミニウム産業では、陽極に見られるピッチのベーキングがPAHs排出を起こす。ソダーバーグ陽極を使用する新しい製錬所では、PAHs排出がほとんどゼロである。
5. これらすべては、図6-1.のMEC曲線がすべての可能な産出にわたりMNB曲線の上に位置する状況である。
6. 必ずしも、探査をこのような場所すべてから除外すべきであるということではない。通常、探査は鉱山の開発や操業よりも環境破壊がはるかに少ない。特定の地域を探査することで得られる情報は、潜在便益（MNB曲線）のより正確な評価を可能にする。このことは原生地域の保護を懸念する人々を心配させるかもしれない。しかし鉱床発見に成功しても開発の許可がおりる可能性が疑わしい地域で、探査を行うことに興味を持つ民間企業は、あったとしても非常に少ないので安心できよう。
7. 探査会社によるブラーン文化保全の取組みに関する興味深い解説は、Davis(1998)を参照。
8. 主張されている欠点の大部分が解決できると主張する仮想評価法の最近の検討については、Carson and others(2001) 参照。

参考文献

Aluminum Industry Association. 1997. *The Canadian Aluminum Industry and the Environment*. Montreal: Aluminum Industry Association.

Barry, M. 1996. *Regularizing Informal Mining: A Summary of the Proceedings of the International Roundtable on Artisanal Mining*. Occasional Paper No.6. Washington, DC: The World Bank, Industry and Energy Department.

Brown, W.M., and others. 2000. *Materials and Energy Flows in the Earth Science Century: A Summary of a Workshop Held by the USGS in November 1998*. U.S. Geological Survey Circular 1194. Denver, CO: U.S. Geological Information Services.

Carson, R.T., and others. 2001. Contingent Valuation: Controversies and Evidence. *Environmental and Resource Economics* 19: 173-210.

Cox, A. 1994. Land Access to Mineral Development in Australia. In *Mining and the Environment*, edited by R.G. Eggert. Washington, DC: Resources for the

Future.

Davis, S.L. 1998. Engaging the Community at the Tampakan Copper Project: A Community Case Study in Resource Development with Indigenous People. *Natural Resources Forum* 22: 233-243.

Ellerman, A.D. 1999. The Next Restructuring: Environmental Regulation. *The Energy Journal* 20(1): 141-147.

Humphreys, D. 1992. *The Phantom of Full Cost Pricing*, A paper given at the International Council on Metals and the Environment seminar on full cost pricing. London: The RTZ Corporation PLC.

——. 2000. Taxing or Talking: Addressing Environmental Externalities in the Extractive Industries. *Minerals & Energy* 15(4): 33--40.

International Labor Organization (1999). *Social and Labour Issues in Small-Scale Mining*. Geneva: International Labour Office.

Mendonça, A. 1998. *The Use of the Contingent Valuation Method to Assess Environmental Cost of Mining in Serra dos Carajas: Brazilian Amazon Region*, Unpublished PhD dissertation. Golden, CO: Division of Economics and Business, Colorado School of Mines.

Mendonça, A., and J.E. Tilton. 2000. A Contingent Valuation Study of the Environmental Costs of Mining in the Brazilian Amazon. *Minerals & Energy* 15(4): 21-32.

Sagoff, M. 2000. Environmental Economics and the Conflation of Value and Benefit. *Environmental Science & Technology* 34(8): 1426-1432.

Soderholm, P., and T. Sundqvist. 2000. Ethical Limitations of Social Cost Pricing: An Application to Power Generation Externalities. *Journal of Economic Issues* 34(2): 453-462.

Stavins, R.N. 1998. What Can We Learn from the Grand Policy Experiment? Lessons from SO_2 Allowance Trading. *Journal of Economic Perspectives* 12(3): 69-88.

Van Leeuwen, T.M. 2000. *An Aluminum Revolution III*, Desk Notes, September 29. New York: Credit Suisse First Boston Corporation.

第7章
所見とまとめ

過去数十年間に、鉱産物の長期利用可能性について学者らを中心に行われてきた活発な議論によって、われわれはこの重要な課題について多くのことを学んできた。たとえば、今われわれにわかっていることは、ある日目覚めると突然、食器棚が空になっていたり、井戸が干上がっていたりすることは起こりそうにないということである。自動車のガソリンが切れると、1分前までは高速道路をとばしていた自動車が次の瞬間路肩で完全に立ち往生してしまうが、同じような形で、鉱産物を使い果たすことはないであろう。枯渇が重大な危機に近づいてくると、鉱産物を探査し生産するための実質費用は上昇するが、それはおそらく何年も何十年もかけてゆっくりと持続的に進行するであろう。重大な供給不足が現実に起こるはるか以前に、迫ってくる稀少性の徴候が顕れてくるであろう。

これは、社会に素材とエネルギーを供給する鉱物資源が、質の点で非常にさまざまであるからである。現在開発されている高品質で低費用の資源は、総量のなかでほんのわずかな量を占めるにすぎない。それがなくなると、より質の低い大量の資源が残され、質の悪さに見合うだけの技術変化がなければ発見や利用に多くの費用がかかる。品質が最も低い資源、地殻に残る銀の最後の1オンスや石炭の最後の1トンが使い果たされるかなり前に、費用は非常に高いものになるであろう。

したがって、枯渇は資源がなくなる世界よりも、資源を利用するにはあまりにも高すぎる世界としての恐怖を作り出すことになる。これは固定ストックパラダイムよりも機会費用パラダイムのほうが、鉱産物の長期利用可能性を評価する適切な方法であることを意味する。この見解は二つの重要な推論を導く。

第一に、枯渇は避けられないものではない。枯渇が時間の経過とともに鉱産物の費用と価格を上昇させることになるが、新技術がこの傾向を緩和するであろう。実際、新技術の費用削減効果が枯渇の費用増加効果を越えるならば、鉱産物は時とともにさらに利用可能性が高まる。

第二に、利用可能性の基準には、追加的な鉱産物を得るために社会が払う犠牲を反映するべきである。犠牲の指標として見込みがあるものには、ユーザーコスト、生産費用、価格が含まれる。価格は、容易に利用でき、ユーザーコストと生産費用の両者のトレンドを反映するので、最も一般的に見られる基準である。これら三つの基準にはさまざまな欠点があり、時には逆の傾向を示すが、それらは利用可能性の傾向に関して、埋蔵量や資源量ベースの可採年数のような固定ストックの基準よりもはるかに有用な洞察を提供する。

過去 130 年間、人口と鉱産物消費に前例がない急上昇があったにもかかわらず、新技術によって枯渇による悪い方向の影響を抑えたことが知られている。多くの鉱産物における実質の生産費用と価格は現実には下落し、これは利用可能性が増加したことを意味している。

もちろん、供給不足も起こった。実際に、戦争、ストライキ、好景気、カルテル、新しい鉱山や製錬設備への不十分な投資、誤った政策など多くの理由によって供給不足が定期的に起こったが、それらは枯渇が原因ではなかった。これは幸運なことであり、世界がこれまでに経験した供給不足が長期間持続しなかった理由である。

しかし、このバラ色の風景に二つの暗雲あるいは警告が投げかけられている。第一は、過去が必ずしも将来の良い指針ではないことである。現在の埋蔵量の水準とその累積の速度について、次の数十年間は良好な前兆が見られるとしても、さらに遠い未来について判断することはたいへん難しい。われわれは、技術変化が枯渇のもたらす悪影響を相殺するのに十分であるかどうかを知るために、技術変化の将来の指針を必要とされる精度で予想できるツールを持っていない[1]。

第二に、利用可能性の基準は、生産者が負担する費用とその購入者が承知して支払う価格のみを考慮している。鉱産物の生産と利用に関連する環境費用やその他の外部費用は考慮していない。どのような時点においても、これは利用可能性の基準を下方へ偏らせ、鉱産物の真の価格と費用を低く見積もる原因となる。

しかし、その傾向が時間とともにどのように影響するのかはあまり明確ではない。環境費用の重要性および総費用中のパーセンテージが増加すると、利用可能性がますます過大評価され、稀少性を過小評価してしまうことを認めなくてはならない。逆に、世界中の政府が過去数十年の間に見られるように、一昔前は外部費用であったものを企業や消費者に支払いを強制させようとした努力は、部分的に、あるいはおそらく全体として、この過大評価の動きを減少させてきた。

将来については、上昇する環境費用などの社会的費用が、広範囲にわたって鉱産物の生産と利用を妨げることで、政府によってその利用を大きく制限する規制や政策が強制されることになると考える人もいる。本書においては、必ずしもこのように考える必要はないことを見てきたが、それは公共政策がより完全に外部費用を内部化し、そして過去と同じように、社会が鉱産物費用（今日ではすべての社会的費用を含む）を上昇させないために必要な技術を創造し続けられた場合に限られる。

残念ながら、この二つの必要条件の両方を満たすことは容易ではなく、不確実である。事実、最近の歴史は、かつて企業が支払うことを要求された環境費用などの社会的費用が、その他の費用と同じように新技術による費用削減効果を受けるかもしれないということを示唆している。しかし、これらの費用を内部化するには二つの理由から容易に進まないかもしれない。第一に、環境、先住民文化、その他の社会財の価値を測るための適切な手法を開発するには、おおきな進展が必要とされる。これは未利用価値の高い社会財の場合と、社会のなかの複数のグループが著しく異なる価値基準を持ち対立する場合には、とくに問題である。第二に、企業に関与するすべての社会的資産に対して支払いを強いる政治的意向は、失業と貧困がすでに広まっているような地域では弱体化する。

したがって、われわれが鉱産物の長期利用可能性について多くを学んできたにもかかわらず、主要な問題は解決していない。次世代の人々が鉱産物の不足に直面するかどうかもわからない。考えを異にする人々は、技術に対する信頼か、あるいは信頼の欠如に同意することを求めている。これが議論の続く理由である。

鉱床、とくに経済限界下の鉱床の成因と性質に関する地質学的なより多くの情報をもってして、累積供給曲線の性質と形状に関する有用な洞察を行うことによって、この重大な問題の解決に大きく貢献することができる。しかし、遠い将来にしか利益をともなった採掘ができない鉱床について調べる経済的なインセンティブは存在しないので、必要とされる知識は現在利用できず、近いうちに利用可能になることもなさそうである。

このいささかもどかしい状況にもかかわらず、鉱産物の長期利用可能性について知り得たことから重要な示唆が生まれる。すなわち、持続可能な開発、環境会計（グリーン・アカウンティング）、先住民文化とその他の社会財、省資源、リサイクル、再生資源利用、そして人口、貧困、差別についての示唆である。

持続可能な発展

持続可能な発展とは多くの意味を持つ用語である。Gro Harlem Brundtland 議長の名前からとったBrundtland Commission（ブルントラント委員会）として知られている、World Commission on Environment and Development（環境と開発に関する世界委員会）は、その報告書「Our Common Future（地球の未来を守るために）」のなかで「持続可能な発展」という用語を一般に紹介したことで広く知られている。この報告書は持続可能な発展を「将来世代のニーズを満たす能力を損なうことなく、現在の世代のニーズを満足させる発展」と定義している(World Commission on Environment and Development 1987, 8)。

それ以降 Toman(1992) やその他の著者が指摘するように、多くの定義が現れた。一部の人々にとって持続可能な発展とは、特定の生態系を保護することであり、別の人々には生物の多様性を保全することであり、また他の人々には先住民文化や地域社会を近隣の鉱山開発から守ることを意味する。そして持続可能な発展を、鉱石がなくなり鉱山が閉鎖した後に鉱山街が経済的に存続し続けることを助けることと理解する人々までもいる。さらに別な使い方では、持続可能な発展は、今日のさまざまな国や人々の間で所得、財、資源を均等に分配することであり、異なる時点をみる広がりがない。

ここで持続可能な発展を、将来世代が少なくとも現在に相当する生活水準をおくることを阻害しない方法で、現世代が行動するという意味で用いる。この定義は経済学者の間でかなり普及している。Brundtland Commission の最初の定義のように、特定の生態系もしくは地域社会の福祉よりも、社会全体の福祉の変化に焦点を置いたマクロ的な適応性を持っている。

われわれの関心は、明らかに、現在の鉱産物消費が将来世代に低い生活水準を強いるかもしれないという可能性にある。持続可能な発展が世間に注目されるようになったのはここ 10 年か 20 年間のことであるが、今まで見てきたように、少なくとも Thomas Malthus と古典派経済学者の 18 世紀の文献のころから資源枯渇に対する恐怖は存在していた。多くの理由から鉱産物の長期利用可能性が心配されるが、おもな理由はおそらく、稀少性の増加が将来世代の福祉を脅かすかもしれないという広く行き渡った考えからである。

しかし、少し振り返ってみると、鉱産物の長期利用可能性と持続可能な発展とのかかわりは、当初考えられていたよりもずっと少ないことがわかる。なぜなら、これは将来世代が現世代と同等な生活水準を享受する可能性は、われわれが伝える資産すべてに依存するからである。豊富で低費用の鉱物資源はその資産の一つである。その他の資産には、人為的もしくは物理的資本（住宅、工場、学校、オフィスビル、道路、橋などのインフラ）、人的資本（健康で高い教育を受けた大衆）、自然資本（きれいな環境、手つかずの自然、豊かな生物多様性）、政治的および社会的な制度（安定した民主的な政治、発達した法制度、争いを平和的手段で解決する伝統）、文化（文学、音楽、芸術、芸能）、そしてもちろん技術が含まれる。

結果として、鉱産物の利用可能性が増加することは持続可能な発展の達成をいくらか容易にするかもしれないが、保証しているわけではない。将来の利用

Box 7-1．強い持続可能性と弱い持続可能性

さらに一歩踏み出し、何人かの経済学者(Solow 1974; Hartwick 1977; Dasgupta and Heal 1979) は、強い持続可能性の仮説モデルを用いて、非再生鉱産物が完全に枯渇しても持続可能な発展が可能であると論じた。そこでの仮定は、すべての重要な財の生産において、他の投入物での代替が非再生鉱物資源に対して可能であるとしている。逆に、弱い持続可能性の仮説モデルでは、財とサービスの生産において鉱産物が完全に不必要にはならず、若干の代替が認められるとするもので、鉱物資源が完全に枯渇することは持続可能な発展と両立しない。後者のモデルの支持者(Daly 1996; Ruth 1995; Neumayer 2000) は、説得力を持って強い持続可能性の仮説が自然の法則に反すると論じている。

しかし、強い持続可能性と弱い持続可能性の討論は、知的な興味は深いが、実用的な関連性については疑わしい。本文で指摘したように、物理的な意味での枯渇は問題にはならない。われわれは文字通り資源を使い果たすことはないのである。稀少性はいくつかの鉱産物の価格を非常に高く押し上げ、広範囲な利用を妨げるかもしれないが、資源は地中に残る。したがって、ある価格では利用可能になるであろう。すでに見てきたように、より高い価格は持続可能な発展の達成をより困難なものにするが、必ずしも妨げることはないのである。

に向けて鉱物資源量を節約するという名目で、新技術への投資を怠り、環境を破壊し、広範囲にわたる貧困を放置する世代は、持続可能な発展を達成できそうにもなく、さらに将来世代から感謝される可能性さえも高くない。

持続可能な発展は、鉱産物の長期利用可能性が低下しても可能である。それは将来世代に残される他の資産による相殺が増加することを必要とする。実際、もし今日の世代がインフラ、教育、研究開発などの投資にさらに多く費やすことが認められるならば、現在の鉱産物の採掘増加によって将来世代が利益を得ることもある（Box 7-1. を参照）。

いずれの場合でも、鉱物の採掘ペースは持続可能な発展の決め手になるよう

な要素ではないように思われる。より重要なことは、現世代が戦争、汚職、不必要な政策、その他福祉を損なう活動にいくら浪費してしまうかである。同様に非常に重要なことは、現世代が福祉を増加させる支出を、どれほど消費に費やして、どれほど投資にまわすかである。

過去1世紀の間に、鉱産物の生産は爆発的に増加したが、これはおもに新技術への継続的な流れをもたらした研究開発への投資のおかげで、長期の利用可能性は高まった。少なくとも先進国では、この投資は社会のその他の投資と連動して、それぞれの継承する世代を親の代よりも裕福にしてきた。

これは二つの興味をそそられる問題を提起する。第一に、持続可能な発展は現在多くの公共政策や活動が判断される聖杯となっているが、それはおそらくあまりにも謙虚な目標ではないのか。われわれの世代が親や祖父母の世代よりもはるかに豊かになったように、子供や孫の世代がわれわれの世代よりもはるかに豊かになることを望まないのか。照準を低く設定しすぎているのではないのだろうか。

第二に、現世代はどれほど節約すべきで、どれくらい投資すべきであるのかである。とくに富める者による浪費的な消費の例を示すことは容易であるが、一方で貧困もまた広がっている。現在の世界人口の大部分に、十分な食品、住宅、医療、教育が与えられていない。将来世代のために現在の所得からどれだけを投資すべきかを決めるにあたって、どのように世代間および世代内の公平をはかり、比較するのか。さらに、この問題は、今日の貧困層に食品、住宅、医療、教育を提供することも将来への投資であるということになり、いっそう複雑になる。この重要な問題については、人口に対する資源の利用可能性を検討するときに立ち戻る。

環境会計（グリーン・アカウンティング）

20世紀の素晴らしい経済学上の発明に、近代的な国民所得および国民生産の勘定がある。よく知られている国内総生産（GDP）のような所得勘定は、1年またはある期間の国の総所得と総生産を計測する。資産勘定は、ある時点における国の資産、負債、正味資産を表している。

国民所得および国民生産勘定は、国の経済成果についての有用な通知表となっている。産出は増加しているのか。投資と消費の比率は上昇しているのか下降しているのか。この比率は他の国と比較するとどのようになるか。国の総資産は増大しているのか。特定の地域が他の地域よりも速く拡大しているか。総所得は、労働、資本、その他の資源所有者の間でどのように分配されているのか。このような情報は本質的な事柄であり、公共政策を作成するためにきわめて重要である。

しかし、国民所得および生産勘定には多くの欠点がある。たとえば、少数の例外を除いて、伝統的には市場で行われる販売と購入のみを所得あるいは生産として考えてきた。したがって、賃金が支払われるメイドや家政婦によって行われたサービスは配慮されるが、無給の主婦あるいは主夫のサービスは考慮されない。そのため多くの福祉を創造する活動が除外されている。

もう一つの重要な欠点は天然資源と環境の扱いに関係するものである。現在は、鉱産物の生産とフローは考慮されているが、地中の鉱物資産のストックは完全に無視されている。したがって、物理的な資産（たとえば、プラントと設備）の蓄積と償却は数えられているが、新しい埋蔵量の発見や資源の枯渇は見落とされている。鉱物資源は労働と資本と同じように財やサービスの生産に重要な投入物なので、この除外される扱い方には問題がある。環境資産の扱いはさらに大きな問題である。これらの重要な資産の変動が資産勘定で無視されているだけでなく、所得および生産勘定でも同様に見落とされている。

これらの欠点は、ある国が見掛け上は強気の経済成長を享受していても、自然資源と環境資産の開発をもとにしており、実際には、それが持続不可能で国を貧しくしてきたこともあり得ることを意味している。費用と便益をすべて計算すると、経済的に強力に成長しているのではなく、自然資源と環境資産を食いつぶしている国ということになる。

環境会計は、国民所得および生産勘定における環境と天然資源の伝統的な扱いを補強するために、アメリカやその他の国で過去数十年間にわたり行われてきた取組みである。よく設計された環境会計システムは、ある経済が持続可能な方法で発展しているかどうかを吟味する意味で、持続可能な発展と関係を持っている。

鉱物資源の事例では、環境会計の取組みは地中の埋蔵量の価値を見積もるためのさまざまな手段を生み出している。Nordhaus and Kokkelenberg(1999, ch. 3) によって詳細に説明されるこれらの手法は、図 3-2. に示されるような既存の埋蔵量に関連するユーザーコスト（またはホテリングレント）とリカードレントの価値を種々の方法を使って見積もることを試みている。

これらの取組みは、過去数十年の間にアメリカの鉱物資源がほとんど変化しなかったことを示した。これは、埋蔵量追加の価値と価格変化による埋蔵量の再評価が、多かれ少なかれ埋蔵量枯渇の価値を相殺したことを意味する。これは、国が持続不可能なかたちで鉱物資源を過度に消費している状況にあるとの見解には至らない。もっともこの見解を評価するには数十年は短すぎる期間ではあるが。

この研究から派生するもう一つの興味深い結果は、アメリカの富全体に対する鉱物資源の貢献は比較的小さいことである。アメリカの鉱物資源の価値は国の有形資本ストックの３～７％しかないと見積もられている(Nordhaus and Kokkelenberg 1999, 104)。人的資本のような資産を加えると、この値はさらに減るだろう。

さらに興味深いのは、アメリカの鉱物資源の富と鉱産物の長期利用可能性の間に見られる少しいびつな関係である。理論的に考えると、鉱物の利用可能性の増加は、鉱物資源の富を増やすことを示すことになるが、この考えはほとんど当てはまらない。もう一度図 3-2. を参照すると、成長する鉱産物の稀少性の徴候である鉱産物の価格上昇が、既存の埋蔵量に関連するリカードレントを増加させ、それゆえに地中の鉱物埋蔵量の価値も増加する。

仮に、石炭を採掘し燃焼するよりも安価に、太陽からエネルギーを獲得することを可能にする新技術開発の影響を考えよう。以前は図 3-2. のステップ関数で表されていた 1 Btu（英国熱量単位）あたりの生産の費用は、今や、最低費用の炭鉱の費用の下に位置した水平線に代わられるであろう。石炭鉱床はもはや価値を失い、太陽エネルギーは利用可能な供給に共通の生産費用を持ち、実際上無制限なので、リカードレントとユーザーコスト（ホテリングレント）のいずれも享受しないであろう。エネルギーの長期利用可能性は大いに改善するが、この劇的な発展はかつて石炭鉱床の所有者が享受した鉱物資源の富を完全に一掃するであろう。また、この損失は新しい鉱物資源によっても相殺されるわけでもない。なぜなら、エネルギーの新しい供給源である太陽光発電には、リカードレントもユーザーコストも付加しないからである[2]。それにもかかわらず、この魔法のような開発は世界の生産能力を増やし、その他の形態の富も築くであろう。社会はより豊かになる。

おそらくより現実的な例は、過去 20 年間のチリにおける高品位で低費用の銅鉱床の発見と開発である。この開発がなければあり得なかった低い水準に銅の世界価格を維持することによって、これらの新しい鉱山はアメリカなどの地域の銅の埋蔵量の価値を下落させた。チリにおける埋蔵量の価値上昇は、チリの別の場所での損失を相殺したかもしれないし、しなかったかもしれない。しかし、チリの新しい鉱山は世界価格を下げることによって、明らかに世界の銅の長期利用可能性を増やした。

鉱物の採取と相容れない社会財

先住民文化、生物多様性、手つかずの自然は、多くの人々が鉱産物の採取と両立できないと考える社会財の例である。これが正しいとすると、これらの社会財の費用を内部化することは、鉱物資源の最適な産出量を単に減少させるだけに留まらず、ゼロにまで減少させる。それではどのようにすれば、社会が許容できない長期の鉱産物不足を引き起こさずに、これらの社会財を守ることができるのであろうか。

第 6 章で指摘したように、公共政策は長年、国立公園や軍用地のような特定の区域における鉱物生産を禁止してきた。さらにこれらの区域の総規模は過去数十年間で拡大したが、同時に、多くの鉱産物の利用可能性も増加した。これは採掘と両立しない社会財の保護が必ずしも稀少性を起こさないことを示唆しているが、鉱物採取を禁止する区域が増えれば増えるほど、鉱物の費用と価格が上昇することを阻止する新技術の挑戦が明らかに厳しくなってゆく。

公共政策の問題は、一方で生物多様性、手つかずの自然、先住民文化、他方で鉱産物の利用可能性のどちらかを選択することではない。それは二者択一の問題または白黒のケースではなく、適切なトレードオフの問題である。社会はどれだけの生物の多様性、手つかずの自然、先住民文化を保全したいのか。その量が増加するにつれて、犠牲にされる長期の鉱物利用可能性に関して社会が負担する価格も上昇する。同時に、生物多様性、手つかずの自然、先住民文化の地域が優先的に保護されるものとして選択されると、その量が増加するにつれて社会の追加的もしくは限界的な便益も低下するであろう。

これは、公共政策が、限界費用（犠牲にされる資源の利用可能性に関しての）が社会の限界便益と等しくなる点まで、これらの社会財の保全を続け、必要とされる地域での採掘を禁止すべきであることを示唆している。このような政策をとれば、長期的に鉱産物の不足を起こさないかもしれないし、不足が起きた場合でも、この政策は、社会全体としてはなお福祉を増進することになる。

さらに、幾人かの経済学者と政策アナリストは警告的な政策を主張する。すなわち、政府が利益と費用をはかりにかけたとき、採掘などの活動がこのような社会財を破壊してしまうと、その被害は不可逆的であることが多いという事実を考慮するように求める。さらに、人口と１人あたり所得が、長期にわたって増加するにつれて、これらの社会財に対する需要はその他の財に対する需要よりも急速に拡大する可能性が高い。他の財とは異なり、生物多様性、先住民文化、手つかずの自然の代替物に近いものを生産することは、困難であるか不可能である。

このような懸念は、ほぼ経済的で多くの鉱産物が存在することが知られている膨大な量の資源と関連づけて、慎重な政策をとることによって、少なくともここ当分の間は、重要な社会財が脅かされる地域がどこであっても、資源開発が排除されるであろうことを示唆している。たとえば、パプア・ニューギニアのブーゲンヴィル島のパングーナ鉱山における不幸な歴史を振り返ってみると、中央政府と民間企業が地元の人々の意向にもっと耳を傾けるべきであったことを示している（Box 7-2. を参照）。先住民文化にとってあまりにも破壊的であっ

Box 7-2. パングーナ鉱山

パングーナ鉱山は1972年に操業を開始した。現在Rio Tinto社の一部であるオーストラリアの大鉱山会社CRAが鉱山を開発、操業を行い、銅のほかに金も相当量生産してきた。会社はポートモースビーの中央政府に密接に協力したが、ブーゲンヴィル島の現地住民とやがて敵対関係となった。住民は、環境費用やその他の鉱山の操業に関する費用の大部分を被っているにもかかわらず、十分な利益を配分されていないと考えた。1989年に突然、彼らは暴力に訴え、鉱山を休止に追い込んだ。かなりの埋蔵量が残っているにもかかわらず、鉱山は現在も再開されていない。

たために、この鉱山は決して開発されるべきではなかったと論じる人々もいる。この鉱床は魅力的な性質を持っているものの、この鉱床が開発されていなくとも、世界の銅産業の費用の長期推移に及ぼす影響はわずかであった。実際、今日操業中の鉱山の多くと同じ程度の費用で銅を生産できる、既知でかつ未開発のポーフィリー鉱床が大量に存在する。このような状況下では、銅生産の長期費用にほとんど影響を及ぼすことなく、多くの鉱山を開発から除外することができるはずである。

省資源、リサイクル、再生資源

鉱産物の長期利用可能性に対する関心は、省資源、リサイクル、二次生産、および可能なところでは再生資源の利用拡大を促進する公共政策などの活動をとおして、広範囲な支持を得て広がり続けている。たとえ鉱産物の長期利用可能性が未知であっても、このような政策は将来に供給不足が起こった場合、有益な保険として作用するので、望ましいとの議論もある。

これらの活動は避けられないものであると主張する者もいる。世界は、空前の速度で非再生鉱物資源のストックを採掘し、その一時的な期間のさなかにいる、と彼らは論ずる。浪費的な利用の時代が終盤に近づいてくると、必ず終わりが来るが、そこにはもはや選択肢はないであろう。保護、リサイクル、再生資源に世界はより依存しなければならず、上昇する鉱産物価格がこのように進む動機を与えることになるであろう。

これらの見解は自明であり異議を挟む余地のないものとして展開されているが、多くの問題が出てくる。この節の残りの部分では、まず省資源について検討し、次にリサイクルと再生資源の代替を取り上げる。

省資源

省資源は、曖昧な概念である。ほとんどの人にとっては、量を少なく使うことを意味する。しかし、この曖昧な定義からは疑問が生じる。つまり、どれほど少なくすればいいのかである。極論の一つのとして、これを主張する保護論者は少数で一般の支持を得られるわけではないが、省資源はすべてを放棄してしまうことを意味している。

一方で、省資源は不必要な浪費なしに、効率的に鉱産物を利用することを意味する。もし鉱産物が適切に価格づけされているのならば、市場はそれが効率的に利用されることを保証する。この場合、鉱産物の使用を減らす公共政策もしくはその他の取組みも必要なくなる。実際には第6章で指摘したように、多くの場合、鉱産物の価格は、生産と利用が環境費用などの社会財に課すすべての費用を含んでいるわけではない。このような場合には、これらの外部費用が内部化されることを保証する公共政策が必要とされる。このような取組みに、少なくとも原則として反対する人はほとんどいないであろう。

市場の効率性が要求する水準以下に鉱産物の利用を減少させる必要があるとき、省資源はより論争の的になる。現在、省資源による、より少ない産出物とより遅い成長に対する対価を社会は支払っている。前述のとおり、将来の資源稀少性のリスクに対する保険料としてこの費用を正当化できるかもしれない。しかし、ここでは、保険を購入することよりも費用対効果が高い方法はないと仮定されているが、必ずしもそうではないかもしれない。省資源の結果失われる所得を、鉱産物を発見し、製錬する新技術の開発に費やすことによって、将来の適切な供給の見込みは強化されるかもしれない。

現在の所得を減らして省資源を進めるもう一つの理由は、裕福な国における今日の物質主義的なライフスタイルが、とくにそれが将来の鉱物不足の可能性を増加させるかもしれないので、不必要なだけではなく、望ましくないという考えに基づく。したがって、望ましくない消費を思いとどまらせることによる所得の低下は、社会全体としてほとんどあるいは全く費用をかけず受け入れられる。

直観的に訴えるものがあるにもかかわらず、この議論は難しい問題を少なくとも四つ提起している。第一に、市場を通して表現される個人の選好を適切な指標として扱えないならば、必要かつ望ましい支出が何であるかをどのようにして決めるのか。このような決定は政治的プロセスを通して共同で決定するのか。もしそうであるなら、現在の消費パターンが相当に強固であるので、なぜ、公共政策がすでに贅沢税を導入するなどによって状況を修正する策をこうじていないのか。第二に、この問題が解決され、一度不必要でかつ望ましくない支出を区別したならば、それらを生産するために使われた資源を、貧しい人々の住宅、食物、医療などの現在の需要に転用したほうが望ましいのではないか。

第三に、今まで見てきたように、鉱物資源という形態の自然資本は現世代が残す多くの資産の一つであり、将来世代の福祉に影響を与える。世代間の公平性と将来世代の福祉について心配するならば、公共政策は、より少なく消費しより多く投資するように、現世代を仕向けていかなければならない。投資は、教育と人的資本、社会的および文化的な制度の強化、もしくは科学技術の知識など、全体に対して行われるであろう。特別な条件下でのみ、省資源によって鉱物資源を維持することに重点を置くことが最良の投資になる。第四に、上記で指摘したように、現在地球上の多くの地域で悩まされている広範な貧困と、前世紀の先進国において実現した、ある世代がその前の世代よりも裕福になってきたという傾向がある。このことをもとにして、現世代の費用でもってして将来世代の福祉を増加させることが、公平性にかなうかどうかは定かではない。

これらさまざまな考え方を合わせて、さらなる 1 単位を利用する費用（すべての社会的費用を含む）が社会便益とちょうど等しくなる点まで効率的に鉱産物を利用することを省資源と位置づけるならば、省資源を強く弁護することができる。さらにその定義では、政府の政策が生産者と消費者にすべての費用を支払うことを強いる限り、市場は効率的な水準の省資源を促進することになろう。時間とともに稀少性が鉱産物の価格を押し上げるならば、省資源は鉱産物の利用を減少させることになるだろう。代って、稀少性が低下し価格が低下するならば、この定義の省資源は鉱産物の最適な利用量を増加させることになる。もし省資源が鉱産物の効率的な利用という意味でなく、たとえば第２章で述べた自然保護運動という意味の場合、正当化することは困難となり、厳しい議論になる。

リサイクルと二次生産

リサイクルと二次生産は、多くの金属の重要な供給源であり、しかもそれらは一次生産の完全な代替財である。したがって、リサイクルを増やすことによって、社会は一次鉱物資源が開発される速度を遅くすることができる。しかし、これは、寿命の終わりつつある製品に含まれるすべての金属をリサイクルすることを意味しない。かつてガソリンに加えられた鉛はいまだに存在し、理論的にはリサイクル可能である。しかし、このように拡散され、利用されたスクラップ金属は、リサイクルするのに法外な費用がかかる。

それでは社会が引き受けるべき最適な量のリサイクルはどれほどであり、この最適量を達成するために必要な政府の市場介入はどの程度まで行われるべきであろうか。省資源の効率的基準に類似した考えに基づくと、銅、鉛、錫、その他の金属の産出量は、全体の生産費用を最小化するように一次生産および二次生産の間で配分すべきであるということができる。これは、リサイクルによりさらなる１トンの金属を得る費用が、採掘からさらに１トン生産する費用にちょうど等しくなる点まで、リサイクルし続けることを意味する。両者ともに、環境費用を含むすべての費用をまかなわなければならない。

この見解に賛成する学者たちは、公共政策がリサイクルを促進する必要があると論ずる。なぜなら、一次生産が、さまざまな形で多くの補助金を得て、そして二次生産より多くの外部費用を社会に課していると考えるからである。残念ながら、過去十年あるいは二十年間のリサイクル促進の多くの取組みを照らし合わせても、実際にこれを証明することは難しい。しかし公共政策が一次生産を優先しているのであるならば、この差別を撤去し、リサイクルを促進することを強く弁護することができる。

他の学者は、公共政策をさらに進めるべきであると主張する。彼らが指摘する点は、リサイクルが経済的であるかどうかは、消費者の行動に依存しているということである。消費者の意識が高く、ゴミを分別する（たとえば缶を分別する）場合、リサイクルはより競争力を増す。消費者を教育することは、教育全般に当てはまる一種の公共財である。リサイクルの費用を減少させることにより、リサイクル企業が一部しかとらえられない便益の残りの部分が社会に還元される。もしこのような外部便益が存在するならば、市場は失敗しており、社会全体の視点からは最適量より少ない財やサービスを提供していることになるだろう。これは、政府が教育および研究開発をサポートする主要な根拠となっている。この議論によると、要するに、政府はリサイクルを促進する消費者行動を押し進める正当な役割を持っていることになる[3]。もちろん公共政策は、家庭がリサイクルの取組みに費やす時間と努力の価値と、社会的に意識の高い人々がこの取組みから得られる満足感を考慮に入れるべきである。

おそらくリサイクルを好む政策の最も共通かつ問題となる考えは、二次生産が社会に時間を与えることである。この議論によれば、世界が、非再生資源に基づいたカウボーイ経済から再生資源と二次生産に基づいた宇宙船経済に至るまでの期間、二次生産は資源の枯渇を遅らせることになる。これは、世界が難しい過渡期を航行するために必要な期間を延長し、その過程で生じる混乱と困難を減少させる[4]。

しかし、枯渇は、鉱物資源の物理的な利用可能性の問題ではなく、費用の問題であることをこれまで見てきた。やがて枯渇が一次生産の費用を押し上げるならば、世界は、非再生一次資源から再生資源と二次生産へ転換しなければならないであろう。しかし、いま社会にこれらの費用を強いて負わせることは、少なくとも二つの理由から問題になる。第一に、一次鉱産物は長期的にみれば稀少になるとしても、これは確定的ではない。起こらないかもしれない問題を軽減するために支払いをするのだろうか。問題が実際に起こった時に支払えばよいのではないのか？[5]

第二に、たとえ稀少性が確実であったとしても、鉱産物の総生産費用を最小化する点を越えてまでリサイクルを促進することによって失われる所得は、その他のことに使ったほうが良いかもしれない。たとえば、鉱産物を発見し生産する費用を低減させる技術、適切な代替物を開発する技術などは、枯渇の衝撃を緩和するためにはるかに効率的な戦略であるかもしれない。さらに、一般的には、貧困に取組み、制度を強化し、汚職を減らし、政治を安定させるためにこの資金を投資しておくほうが、今まで見てきたように、われわれが鉱産物の長期利用可能性の維持に失敗する可能性に対する補償として、将来世代により多大な配当を残すかもしれない。

注意すべきことは、上記のことが必ずしもリサイクルに対する公的なサポートを妨げるものではない。しかし、このようなサポートの事例は自明ではなく、どちらかというと実証的な検証を必要としているのである。

再生可能資源

太陽熱発電、バイオマス、その他の再生資源は、人類にかかわりのある時間内で補充可能であり、したがって無期限に使用することができる。このことは、しばしば議論されているように、社会が非再生資源の代わりに再生資源の利用を促進するべきであるということになるのであろうか。

この疑問の答えは、すでに述べた省資源とリサイクルの論議にたいへん類似している。もし、非再生資源の生産と利用が、多大な外部費用を社会に課すか、あるいは再生資源の生産と利用にかかる費用を超える補助金を必要とするならば、市場は失敗しているがゆえに、非再生資源よりも再生資源を優先するための政府介入について、賛成の声が強くあがるであろう。もちろん、相対的な補助額を慎重に分析することによって、実際には再生資源に対する補助が過剰であることが証明されるならば、政府の政策は反対の方向に傾くことになろう。

このような基準を越えたところで、再生資源の使用を優先させる政府政策を正当化することは難しい。なぜなら、それは所得と富を減らしてしまうからである。この費用は、結局は起こらないかもしれない問題を緩和するために使われている。それに加えて、現世代が犠牲にした所得と富を別の方法で活用した場合、将来世代の福祉をいっそう強化できるかもしれないのである。

再生資源であっても持続可能な水準を超えて利用されると、非再生資源と同じく枯渇にさらされるが、これは真実であろうと考えられる。21 世紀始めの最大の懸案となっている資源をみると、おもに再生資源、すなわち気候、オゾン層、水、空気、土壌、鯨、および生物の多様性に焦点が当てられている。再生資源が持続可能であり、非再生資源が持続可能ではないという一般的な認識は明らかに正しくない。実際、過去 1 世紀の間の多くの動物種の絶滅に見られるように、再生資源における物理的な枯渇が現実の脅威となったいくつもの事例がある。このことから、「再生資源」と「非再生資源」という用語は誤解を招く言葉である。両者ともに枯渇にさらされる可能性があり、再生資源の枯渇の場合は費用の上昇だけではすまされないかもしれない。

人口、貧困、差別

最後の節では、鉱産物の長期利用可能性と世界人口との間の興味深い関係を検討する。とくに、二つの問題に焦点を合わせる。第一の項目は、人口に対する資源の利用可能性の影響に関連して、次の質問に言及する：鉱産物の利用可能性は、世界人口の上限もしくは天井にどの程度影響するのか。第二には、資源の利用可能性に対する人口の影響を検証し、次の問に言及する：成長を続ける人口は鉱産物の長期利用可能性にとって脅威となるのか。

人口の上限

ある特定の時間における利用可能な世界の資源は、世界が支えることができる人間の数に上限を設けてしまう。Malthus ら古典派経済学者は、第 2 章で見たように、200 年以上前にこの事実を認識している。収穫逓減の法則によれば、より多くの可変的投入（人）が固定的投入（土地や一般的な資源）に加えられるにつれて、可変的投入をさらに 1 単位加えることで得られる産出もしくは追加収入は、ある点から低下するはずである。やがてこの低下は 1 人あたりの平均生産を最低生活水準まで押し下げるであろう。Malthus によって好ましい状況でないと認識された時点で、世界は維持できる人の数の上限に達するとした。

しかしながら、このシナリオの持つ四つの側面を明確にしておく必要がある。第一に、最適な人口水準は最大限の水準よりかなり少ない。これには多くの理由があるが、すべての人がかろうじて生きることができるような世界は、あまり魅力的な世界ではないことは事実であろう。しかし、何が人口の最適な水準であるかについては、一致した意見がさらに少ない。美とか公正のように、見る人によって異なり、個人個人によってさまざまに変わる。多くの人にとって最適とは、現在の世界人口より少ないことであり、また、他の人にとっての上限とは今の人口もしくはそれ以上である。

第二に、世界は、現在の人口、60 億人以上を支えるに十分な鉱産物の供給量を持っているのは明らかである。なぜなら、現在それが実現されているからである。さらに、現在の予測に基づくと、世界人口がピークに達する今世紀半ばには、ある所得水準で 90 から 100 億の人口を支えることが可能であろうと見られている。これらの人口の数値と鉱産物の長期利用可能性を考慮すると、発展途上国がどこまで現在先進国で行われている高い生活水準に移行できるかはさらに不明確である。しかし、これは人口の上限よりも最適水準に関連していることである。さらに、経済発展はまだ十分に理解されておらず、幸運な多くの要素の巡りあわせに依存しているように見えるが、鉱産物の長期利用可能性が圧倒的な重要性を持っているようには思われない。進展するグローバル経済のなかでは、すべての人が必要な鉱産物を多かれ少なかれ平等に利用できるはずであるが、過去数十年の間をみると多くの発展途上国が停滞していたのに対し、韓国、香港、シンガポール、マレーシア、チリ、そして最近では中国が、急速な経済成長を享受している。

第三に、非再生資源と同様に再生資源によっても人口は上限を設けられる。実際、土地、水、などの再生資源の利用可能性は、非再生資源 ― その有限性にもかかわらず ― よりずっと以前に、人口増加を制限することになるであろう。もしそうであるなら、人口に対する鉱物の制約は、拘束力がなく、すなわち、ほとんどあるいは全くもって無関係となってしまう。

第四に、鉱産物に起因する人口の上限は一定ではなく、長期利用可能性の変化に応じて時間とともに推移する。新技術が枯渇の費用増加効果を相殺し続けるなら、鉱物資源によって設定される人口の上限は、無制限に上昇することになる。稀少性の増加は、これと反対の効果を持つであろう。

したがって、最初の質問に対する答えは「イエス」であり、鉱産物の利用可能性は世界人口に制限を課す。これは真実であり、興味深いが、その重要性は限定されている。その理由は、上限が常に変化しているからである；再生資源がより低い人口の限界をもたらすかもしれない；上限は現在の人口水準よりも上にあり、近い将来に予測される水準を上回りそうである；そして、最も重要なことは、好ましいあるいは最適な人口水準は鉱物資源によって設定される上限のはるかに下に位置しており、その上限はその他の制約によって設定されるものである。

人口の脅威

次に第2番目の質問に戻る。すなわち、人口成長は鉱産物の長期利用可能性に対して重要な脅威となるのだろうか？　通常の考え方ではこの質問に対する答えは再び「イエス」となるが、それは部分的にしか正しくない。ほかのすべての条件が同じであれば、人口増加が鉱産物の需要を増やす傾向があり、増加がない場合と比べるとより速い速度で社会が累積供給曲線を上昇するのは間違いない。しかし Julian Simon(1981, 1990) が粘り強く議論しているように、人は、鉱産物に対する需要と同時に、供給にも影響を与える。人間が多いということは、時間とともに累積供給曲線を下方に移行させる技術革新や新技術を開発するための頭脳がそれだけ増えることになる。多くの人間の存在が長期の鉱産物の利用可能性を促進するか、妨げるかは、実証的な証拠を必要とする未解決な問題である。Simon は、人々の発明の才能と工夫のおかげで増加する人口が利用可能性を増やすと主張しているが、他の学者はそれほど楽観的ではない。

物理学、化学、その他の自然科学で普通に行われている対照実験を社会科学で模倣することは難しいが、過去1世紀はある意味で実証的実験の研究室を提供している。1900年から2000年までの間、世界人口は3倍以上になり、20億人弱から60億人強まで増加した。しかし、資源の利用可能性は、すでに検討した基準によると顕著には低下しなかった。これは、人口増加が鉱産物の長期利用可能性を著しく脅かすという仮説を支持していない。将来は異なるストーリーになるかもしれないが、鉱産物の長期利用可能性を維持するために人口増加を鈍化させることを主張する人々は、少なくとも知らないうちに、反生産的な政策を後押しししているかもしれないという点をよく考える必要がある。

人々の創意工夫によって鉱産物の供給に及ぼす影響は、興味深く、逆説的でさえある問題を提起する。たとえば、貧困と差別は、鉱産物の利用可能性にとって本質的に人口問題よりもはるかに重大な問題であるかもしれない。World Bank(2001) は、発展途上の世界には貧困で苦しむ人が4人中1人、12億人いると推定している。ここで貧困とは1日1ドル以下で生活することを意味する。適切な住宅、食品、医療、教育がなければ、これらの人々は累積供給曲線を押し下げる技術を促進したり、あるいはその他の方法で社会に貢献するために必要な技能や才能を伸ばす機会を全く持てない。

これは、発展途上国はもちろん先進国でも、この状況がない場合に比べると、世界全体を貧しくし、損失をもたらしている。何人ものレオナルド・ダ・ヴィンチ、トーマス・エジソン、アルバート・アインシュタインが、カルカッタ、リオデジャネイロ、ニューヨークのスラム街で、その優れた才能を開花させることなく、生まれ、死んでいったか。世界全体に貧困がなければ、どれほど豊かになるか、そしてとくに鉱産物がどれくらい利用可能になるのであろうか？

差別も同じように大きな問題を提起する。世界のいたるところで、女性と少数民族が、生産的な専門職に従事するために必要な教育と経験を得る機会が与えられていない。貧困と同様に、差別は差別される人々だけではなく、われわれ全員に影響を与える。また、貧困と同様に、可能性があったものを妨げ、とくにそれは知らない間に進行する。結果として、直接的な影響を受けていない人々は、自分たちが被った損失がどれほどの大きいか、ほとんどあるいは全くわかっていない。現実には、多くの人々は貧困と差別が自分自身をも貧しくしていることに気づいていない。

正確にこれらの費用を算定する方法はないが、膨大になるに違いない。人類の3分の1から4分の1が現在、貧困と差別のために社会の福祉に貢献することができない。この数値またはより高い数値が過去にも同様に当てはまるならば（これは不当な仮定ではないが）、世界が既存の技術の蓄積（もちろん芸術や人文科学から得られるものも忘れてはならない）から得られる利益は、現在の20～40％も大きかったかもしれないことを示唆している。鉱産物の場合、新技術が追加的に導入されることによって、前世紀における利用可能性の増加傾向が強調され、そして将来へこの好ましい傾向が継続する見込みを高めたことであろう。

これらの問題は、次のようなことも暗示している。すなわち、鉱産物の浪費的な使用は不公平で、不当であるという非難が、多くの人々によって、先進国、とくにアメリカに対して頻繁に浴びせられているが、これは見当違いであるかもしれない。中国、インド、ナイジェリア、その他の発展途上国における鉱産物の1人あたりの消費量は非常に低いが、これらの国々の広範囲にわたる貧困は、枯渇の費用増加効果を相殺しようとして進んでいる取組みには少ししか貢献できないことを意味する。一方、先進国は明らかに浪費的な利用にもかかわらず、鉱産物の長期利用可能性を促進するための強力な立場にある。もし制約のない鉱産物の使用が、新しい費用削減技術の開発を支える所得を生み出すことにも役立つならば、上記の非難にもかかわらず、逆に、発展途上国にとって実際には有益なことなのかもしれない。

このような考えに不満を抱く人もいるであろう。根本的な理論は、先進国が世界中の貧困と差別への戦いを助けるべきであり、それは慈善あるいは少なくとも慈善が主目的ではなく、先進国自身がそのようにしたいという利己的な利益においてであるとの結論もまた導かれる。この理論によって、不満を抱く人も少しは解消できるであろう。

もちろん、差別、貧困、人口増加は独立した事柄でないかもしれない。とくに、人口増加は貧困を増長する可能性がある。もしそうであるなら、将来の鉱産物の利用可能性を促進する手段として人口増加を制限するという意見は賛同を得やすい。しかし、人口増加が貧困を悪化させないならば、人口増加を抑制することに関して、鉱産物の利用可能性が正当な根拠を与えるかどうかは少しも明らかなことではない。

猶予期間を生きているのか？

それではわれわれは猶予期間を生きているのだろうか？　われわれが知っている近代文明は、石油やその他の鉱産物の枯渇の脅威にさらされているのか。災害を回避し、来るべき世代に安全な将来を提供するために徹底的な公共政策が必要なのか。公共政策は単に、将来に枯渇が問題となるかもしれない可能性に対する警戒や保険として必要なのだろうか。

現代の予言者は、これらすべての質問に何度も「イエス」と叫び、彼らは社会にその行いを悔い改めることを訴える。人口増加を抑制すること。鉱物資源の利用を制限すること。より多くのもの、より良いものに対する欲望を抑えること。そして、物質主義を断念し、より簡素な生活を受け入れることである。

その意見の対極に位置するのが予言者殺しである。彼らは、現在も未来永劫（少なくともわれわれが興味を持つ未来まで）も鉱物資源の利用可能性の問題はないと主張する。彼らは、予言者は少しも予言者ではなく、「空が落ちてくる」とあわてるチキン・リトル［訳注：有名な絵本のキャラクターで、どんぐりが落ちて頭にあたったのを「空が落ちた」と勘違いして大騒ぎするヒヨコ］であると主張する。

予言者ならびに予言者殺しは、大衆を魅了する。彼らは、はっきりした、単純なメッセージを伝え、世界を白か黒に塗りつぶす。われわれが知らなければならないこと、考えなければならないこと、すべきこととしてはいけないことを教えてくれる。彼らは、派手で、情熱的で、自分が正しいと確信しているので、その熱意に飲み込まれてしまわないように抵抗するのが難しい。

しかし、現実の世界は、それほど単純ではない。白か黒に塗られてしまうことはほとんどない。どちらかというと、灰色の色調や明るい色で塗られている。現実の世界は、リスク、不確実性、未知、複雑さに満ちている。このことが人生を、時には挫折や苦悩をもたらすけれども、興味深く、刺激的で、挑戦的にしている。

鉱物枯渇の恐怖についても同様である。次の50年から100年の間に、社会が直面する最も差し迫った問題として、鉱物資源の枯渇が位置づけられることはなさそうであることを検討してきた。しかし、その先の世界は、枯渇による費用増加効果と新技術の費用削減効果の競争となろう。結果は、多くの要因に影響され、全く未知である。非経済的な鉱床の生成と性質に関するより多くの地質学情報が有用な洞察を提供するであろうが、これさえ不確実性を完全に取り除いたものにはならないであろう。

では、公共政策の適切な役割とは何だろうか。予防原理に立ち返り、人口成長を制限し、経済の成長を鈍化させ、そしてリサイクル、省資源、再生資源の利用を高めることによって、社会は一次鉱物資源の利用を制限するべきであると主張する人もいる。しかし、今まで見てきたように、このような政策は危険がないわけではなく、反生産的であり得る。そうではないとしても、より多くの資源をより安い費用で保護する方法が存在するかもしれない。これらの懸念は必ずしも、公共政策がすべて望ましくないというわけではないが、ある種の警告を発している。このような政策は、注意深く綿密に検討する必要がある。

鉱産物の生産と利用にともなう環境費用やその他の社会的費用を内部化する政策については、はるかに明解な賛成論が存在する。時間が経つにつれ、総費用に占める鉱産物を生産し利用する環境費用の割合が増加するであろう。生産者と消費者にこれらの費用の支払いを強いる公共政策は、これらの費用を減らす強いインセンティブを生産者と使用者に提供することになり、枯渇と技術の競争に好ましい影響を与えることができる。このような政策はどのような場合にせよ、別の理由から望ましいことになる。

しかし、鉱物の生産と利用の全社会的費用を内部化することは容易ではないであろう。主要な懸案事項は、先住民文化、生物多様性、安定した気候、その他の環境資産に対して人々が抱く価値に大きな相違があることをとくに配慮しながら、外部費用を計測するための信頼性が高くかつ許容可能なツールを開発することである。この領域では過去数十年間に大きな進歩が見られたが、さらに多くの発展が必要とされる。十分に識別され、測定された社会的費用を内部化するための意志と手段を、政府に提供する制度と政治的な決断を強化することも重要である。地球温暖化と手工業的採掘の事例で明らかなように、これは困難な作業である。

枯渇の費用増加効果を相殺する新技術の開発を促進する公共政策に対しても、強く賛成を唱えることができる。このような技術は、社会が鉱物枯渇の脅威を抑えるために自由に使える兵器庫のなかの重要な武器のようなものである。新技術から派生する便益を、企業および製造に責任のある組織が十分に享受できないので、この取組みには十分な資金供給を保証されるための公的な支援が必要である。これはもちろん、鉱物の生産と利用のための研究開発だけではなく、一般的な研究開発についても必要である。当然ではあるが、このことから、多くの政府が鉱業部門とその他の分野における研究開発を支援している。

より多くの公的な資金が、鉱業部門の新技術に望まれるかどうかは、とくに注目すべき重要な問題である。地質学、採鉱・石油工学、冶金学、その他の関連分野に人生を捧げた多くの科学者とエンジニアには、多くの新技術の兆しが見えきており、その研究開発に対して必要な投資が行われれば、社会に多大な配当をもたらすことになるという[6]。

重要な意味を持って、われわれは猶予期間を生きている。世界は移り変わる。これは新しいことではなく、地球が創造されて以来続いてきている真実であるが、新しいことは変化の速度である。1世紀前は、家を暖めたり、経済を動かすために木と石炭に大幅に依存していた。今日、われわれは非常に多くの石油、天然ガス、原子力を使用している。これから1世紀後には、その組合せは間違いなく、さらに異なったものとなっているであろう。これまでの石油や豊富な鉱床（たとえば0.8％以上の品位に恵まれた銅鉱床など）に対する依存は低下せざるをえないと主張している人々は、おそらく正しい。しかし、このことは持続可能な発展と将来世代の福祉についてとは、とくに興味深い関連性があるわけではない。

重要な問題は、現在、高品質の鉱物鉱床によって供給される需要を、将来、社会が他の資源から現在の価格に近いかあるいは低い実質価格で、提供できるかどうかである。非再生鉱物資源は、変化のない世界（たとえそれが望ましいとしても）が、持続可能ではないことを明確にしている。現在の高品質の鉱物資源の開発は、環境を損なうなどの重要な社会資産を破壊することなく、別の資源から将来の需要を満たすことができる新技術を開発する機会を社会に提供している。

母なる自然は、問題の性質（お望みならばゲームのルールとしてもよいが）を定めているが、これまで、彼女は非常に寛大であった。したがって、結果が好ましいかどうかを決定するのは、おもに人類となるであろう。もしわれわれが問題の解決に失敗するならば、鉱物枯渇の脅威はより重大なものとなり、稀少性が最終的に将来世代の経済発展と福祉に重要な制約をかけることになるであろう。もしわれわれが問題にうまく対処するなら、鉱物枯渇の脅威は後退し、鉱産物はよりいっそう利用可能になるであろう。要するに将来は、われわれが現実を把握し、形づくってゆくものである。

注　釈

1. これらの理由のために、たとえば50年もしくは100年後の将来に石油を受渡しするような、非常に長期の鉱産物の先物市場はない。市場価格の存在する現在や直近の未来に焦点が当てられるので、このような市場の欠如は、稀少性を評価するにあたって、いくぶん近視眼的にしてしまうかもしれない。
2. これは、今後の太陽光の利用可能性と供給市場までの位置について、太陽光発電の用地が容易に利用可能で、品質に遜色がないと仮定されている。現実にはそうではないので、リカードレントと、場合によってはユーザーコストも生じるかもしれない。それは太陽光発電用地のための土地価格に反映されるであろう。
3. 同じ理論的根拠が、リサイクルの費用を削減し二次生産を促進する研究開発に対する政府の支援を正当化するために適用される。しかし、ここでの市場の失敗の議論は、一次生産の費用を削減する研究開発のために政府が資金援助をすることも同じく支持する。したがって、研究開発に対する最適な公的支援が、二次生産または一次生産のどちらに有利となるかは不明確である。
4. この立場の最近の充実した事例としてAckerman(1997)を参照。
5. Kolstad(1996)は、地球温暖化政策をよりゆっくり進めるべきとした、さらに洗練された類似の議論を展開している。リサイクルおよび地球温暖化に関して、問題が明確になるまで待っていたのでは、政策の介入が遅すぎるのではないかと主張する人もいることであろう。しかし、リサイクルについても、なぜ遅すぎることになるのかは、明確にはなっていない。

6. 私がこの文章を書いているときに、National Research Council（米国学術研究会議）は、エネルギー利用および化石燃料燃焼のより効率的な方法について、U.S. Department of Energy（米国エネルギー省）が1978年から130億ドルを費やしてきた成果について検討した科学者のグループによる結果を発表した。この研究(National Research Council 2001) によると、130億ドルの投資は、約400億ドルの経済的便益を生み出した。利益の4分の3近くが、合計でわずか1,100万ドルの費用であった三つの研究プログラムから得られていることは興味深い。研究は探査のようなものである。少数の大いに成功したプロジェクトが、多くの成功していない取組みの埋め合わせ以上のことをする。

もう一つの最近の研究として、私も関係しているものであるが、National Research Council(2002) を参照。この調査はおもに非燃料鉱物に焦点を合わせ、鉱産物を発見し、生産する方法に対して追加的な研究開発を行うことでもたらされる社会への便益が、費用をはるかに超えるという結論を得ている。

参考文献

Ackerman, F. 1997. *Why Do We Recycle? Markets, Values, and Public Policy*. Washington, DC: Island Press.

Daly, H. 1996. *Beyond Growth: The Economics of Sustainable Development*. Boston: Beacon Press.

Dasgupta, P., and G. Heal. 1979. *Economic Theory and Exhaustible Resources*. Cambridge: Cambridge University Press.

Dasgupta, P., and others. 1999. Intergenerational Equity, Social Discount Rates, and Global Warming. In *Discounting and Intergenerational Equity*, edited by P.R. Portney and J.P. Weyant. Washington, DC: Resources for the Future.

Hartwick, J.M. 1977. Intergenerational Equity and the Investing of Rents from Exhaustible Resources. *American Economic Review* 67: 972-974.

Kolstad, C.D. 1996. Learning and Stock Effects in Environmental Regulation: The Case of Greenhouse Gas Emissions. *Journal of Environmental Economics and Management* 31: 1-18.

Krutilla, J.V., and A.C. Fisher. 1975. *The Economics of Natural Environments: Studies in the Valuation of Commodity and Amenity Resources*. Baltimore, MD: Johns Hopkins University Press for Resources for the Future.

National Research Council, Board on Energy and Environment Systems. 2001. *Energy Research at DOE: Was It Worth It?* Washington, DC: National Academy

Press.

National Research Council, Board on Earth Sciences and Resources. 2002, *Evolutionary and Revolutionary Technologies for Mining*. Washington, DC: National Academy Press.

Neumayer, E. 2000. Scarce or Abundant? The Economics of Natural Resource Availability. *Journal of Economic Surveys* 14(3): 307-335.

Nordhaus, W.D., and E.C. Kokkelenberg (eds.). 1999. *Nature's Numbers: Expanding the National Economic Accounts to Include the Environment*. Washington, DC: National Academy Press for the National Research Council.

Page, T. 1977. *Conservation and Economic Efficiency: An Approach to Materials Policy*. Baltimore, MD: Johns Hopkins University Press for Resources for the Future.

Ruth, M. 1995. Thermodynamic Implications for Natural Resource Extraction and Technical Change in U.S. Copper Mining. *Environment and Resource Economics* 6(2): 187-206.

Simon, J.L. 1981. *The Ultimate Resource*. Princeton, NJ: Princeton University Press.

——. 1990. *Population Matters: People, Resources, Environment, and Immigration*. New Brunswick, NJ: Transactions Press.

Solow, R.M. 1974. Intergenerational Equity and Exhaustible Resources. *Review of Economic Studies, Symposium on the Economics of Exhaustible Resources*: 29-45.

Toman, M.A. 1992. The Difficulty in Defining Sustainability. In *Global Development and the Environment: Perspectives on Sustainability*, edited by J. Darmstadter. Washington, DC: Resources for the Future.

World Bank. 2001. *World Development Report 2000/2001*. www.worldbank.org.

World Commission on Environment and Development. 1987. *Our Common Future*. Oxford: Oxford University Press.

付　録
代表的な鉱産物の実質価格（1870～1997年）

Peter Howieによる

以下の図は、1870～1997年までの期間におけるアメリカの生産者物価指数によってデフレートされたアルミニウム、銅、銑鉄、鉄鉱石、ニッケル、鉛、銀、錫、亜鉛、石油、天然ガス、歴青炭の価格を示す。これはRobert S. Manthyが1978年の著書「Natural Resource Commodities — A Century of Statistics」で掲載している価格データを更新したものである。この本は順に、Neal Potter and Francis T. Christy, Jr.の1962年の著書「Trends in Natural Resource Commodities」を更新したものである。両著書は、Resources for the FutureのためにJohns Hopkins University Pressから出版され、鉱物生産量、消費量、貿易、労働などの豊富なデータも掲載している。

表示されている価格は、アメリカでの価格であることに留意することは重要である。多くの鉱産物は世界市場で販売されているので、アメリカの価格トレンドは外国の価格と密接に連動している。しかしながら、必ずしもそうであるわけではない。たとえば、表示されている鉄鉱石の価格は、エリー湖の港で売られたミネソタ北部のメサビ山脈産の鉄鉱石価格である。この価格は、現在世界最大の鉄鉱石生産者および輸出国である、ブラジルとオーストラリアから出荷された鉄鉱石価格の過去数十年間にわたる下落を完全には反映していない。

図に続くデータ出典は、原典から引用された価格の性状を示す。

Peter HowieはUniversity of Montana（モンタナ大学）の経済学部の客員助教授である。

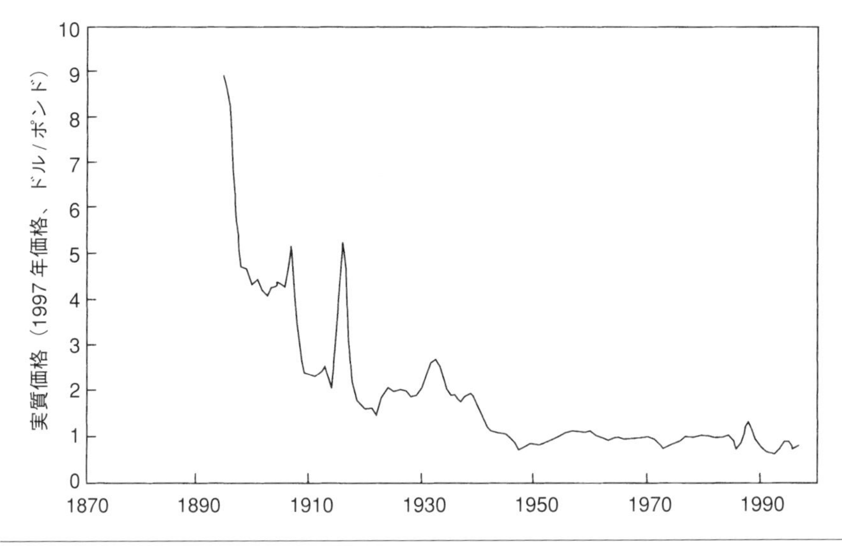

アルミニウム — 地金のニューヨーク価格と生産者平均価格、1895 ～ 1997 年

出典：

1895 ～ 1957 年までのデータ、N. Potter and F.T. Christy, Jr., *Trends in Natural Resource Commodities: Statistics of Prices, Output, Consumption, Foreign Trade, and Employment in the United States, 1870-1957* (Baltimore, MD: Johns Hopkins University Press for Resources for the Future, 1962)

1958 ～ 1983 年までのデータ、年刊 *Metal Statistics* (New York: American Metal Market)

1984 ～ 1991 年までのデータ、*ABMS Non-Ferrous Metals Data Yearbook* (Chatham, NJ: American Bureau of Metal Statistics)

1992 ～ 1997 年までのデータ、年刊 *Metal Statistics* (New York: American Metal Market)

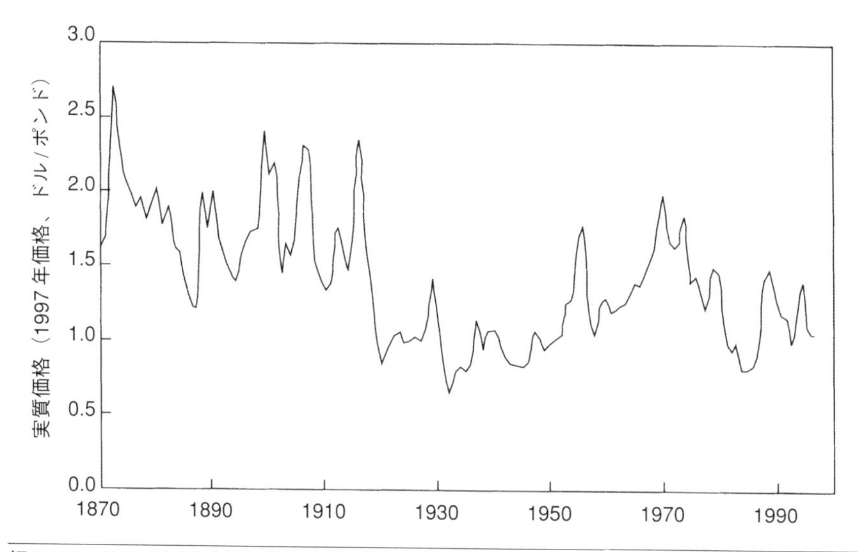

銅 — アメリカの製錬所における地金と電気銅価格、1870～1997年

出典：

1870～1957年までのデータ、N. Potter and F.T. Christy, Jr., *Trends in Natural Resource Commodities: Statistics of Prices, Output, Consumption, Foreign Trade, and Employment in the United States, 1870-1957* (Baltimore, MD: Johns Hopkins University Press for Resources for the Future, 1962)

1958～1973年までのデータ、R.S. Manthey, *Natural Resource Commodities — A Century of Statistics: Prices, Output, Consumption, Foreign Trade, and Employment in the United States, 1870-1973* (Baltimore, MD: Johns Hopkins University Press for Resources for the Future, 1978)

1974～1997年までのデータ、*ABMS Non-Ferrous Metals Data Yearbook* (Chatham, NJ: American Bureau of Metal Statistics)

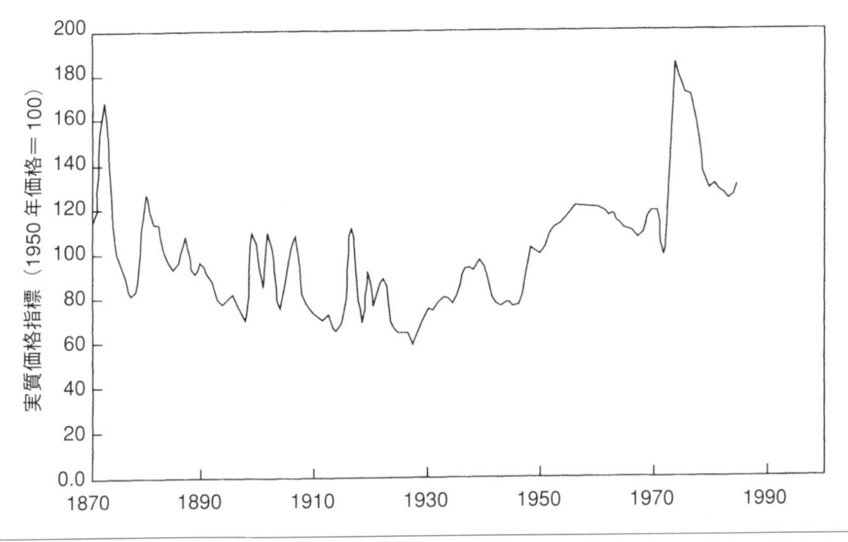

銑鉄 ― アメリカ平均価格、1870 ～ 1986 年

出典：

1870 ～ 1957 年までのデータ、N. Potter and F.T. Christy, Jr., *Trends in Natural Resource Commodities: Statistics of Prices, Output, Consumption, Foreign Trade, and Employment in the United States, 1870-1957* (Baltimore, MD: Johns Hopkins University Press for Resources for the Future, 1962)

1958 ～ 1973 年までのデータ、 R.S. Manthey, *Natural Resource Commodities ― A Century of Statistics: Prices, Output, Consumption, Foreign Trade, and Employment in the United States, 1870-1973* (Baltimore, MD: Johns Hopkins University Press for Resources for the Future, 1978)

1974 ～ 1986 年までのデータ、Bureau of Labor Statistics の月刊定期刊行物 *Wholesale Prices and Price Indexes*

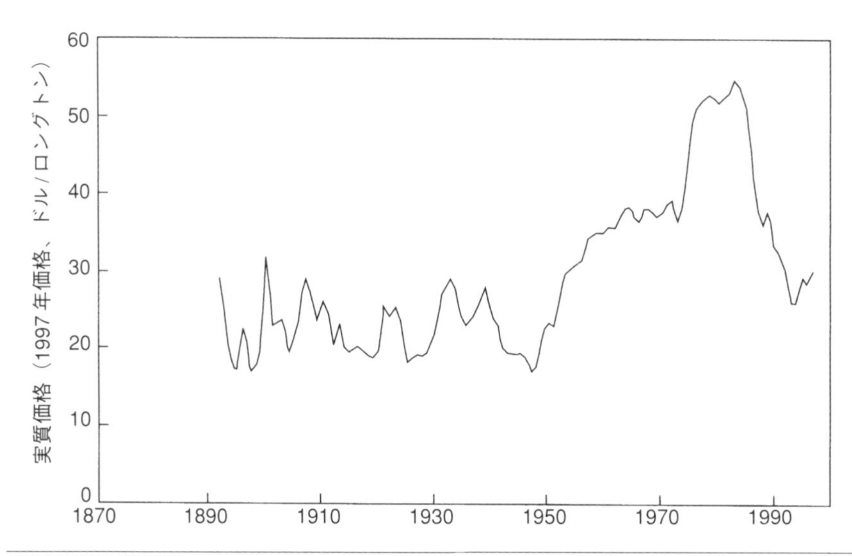

鉄鉱石 — エリー湖埠頭におけるメサビ産非ベッセマー鉄鉱石の価格、1895 ～ 1997 年

出典：

1895 ～ 1957 年までのデータ、N. Potter and F.T. Christy, Jr., *Trends in Natural Resource Commodities: Statistics of Prices, Output, Consumption, Foreign Trade, and Employment in the United States, 1870-1957* (Baltimore, MD: Johns Hopkins University Press for Resources for the Future, 1962)

1958 ～ 1997 年までのデータ、U.S. Geological Survey's *Mineral Yearbook* (Washington, DC: U.S. Government Printing Office)の中の Salient Iron Ore Statistics（鉱山における平均価格）

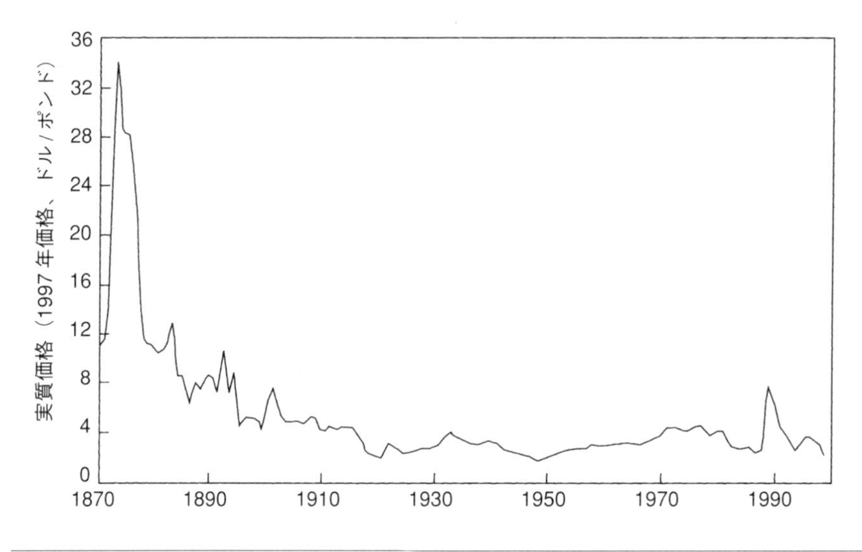

ニッケル — 消費のため輸入された平均単価、1870 ～ 1997 年

出典：

1870 ～ 1957 年までのデータ、N. Potter and F.T. Christy, Jr., *Trends in Natural Resource Commodities: Statistics of Prices, Output, Consumption, Foreign Trade, and Employment in the United States, 1870-1957* (Baltimore, MD: Johns Hopkins University Press for Resources for the Future, 1962)

1958 ～ 1990 年までのデータ、U.S. Geological Survey's 1993 *Statistical Compendium* のウェブサイト（2002 年 9 月 23 日アクセス）

1991 ～ 1997 年までのデータ、U.S. Geological Survey's *Mineral Yearbook* (Washington, DC: U.S. Government Printing Office)

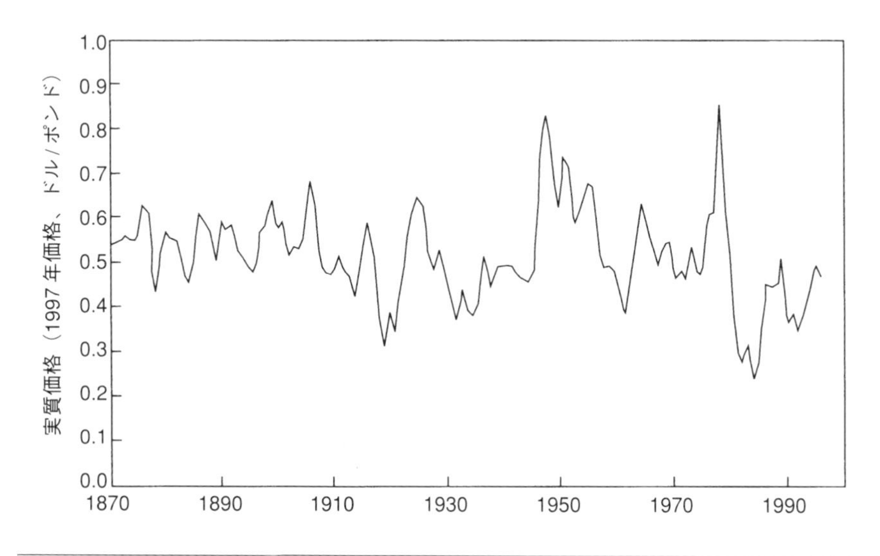

鉛 — ニューヨークにおけるアメリカ平均価格、1870 〜 1997 年

出典：

1870 〜 1957 年までのデータ、N. Potter and F.T. Christy, Jr., *Trends in Natural Resource Commodities: Statistics of Prices, Output, Consumption, Foreign Trade, and Employment in the United States, 1870-1957* (Baltimore, MD: Johns Hopkins University Press for Resources for the Future, 1962)

1958 〜 1973 年までのデータ、R.S. Manthey, *Natural Resource Commodities — A Century of Statistics: Prices, Output, Consumption, Foreign Trade, and Employment in the United States, 1870-1973* (Baltimore, MD: Johns Hopkins University Press for Resources for the Future, 1978)

1974 〜 1987 年までのデータ、*ABMS Non-Ferrous Metals Data Yearbook* (Chatham, NJ: American Bureau of Metal Statistics)に掲載されたアメリカ生産者鉛価格

1988 〜 1997 年までのデータ、*ABMS Non-Ferrous Metals Data Yearbook* (Chatham, NJ: American Bureau of Metal Statistics)に掲載された北米生産者鉛価格より

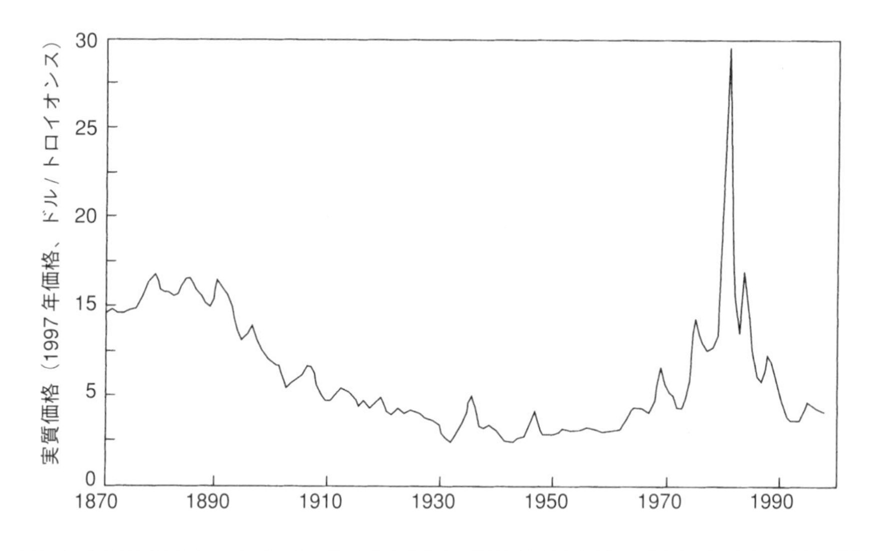

銀 — ニューヨーク価格、1870 ～ 1997 年

出典：

1870 ～ 1957 年までのデータ、U.S. Bureau of the Census, *Historical Statistics of the United States, Colonial Times to 1957* (Washington, DC: U.S. Government Printing Office, 1960)

1958 ～ 1997 年までのデータ、年刊 *Metal Statistics* (New York: American Metal Market)

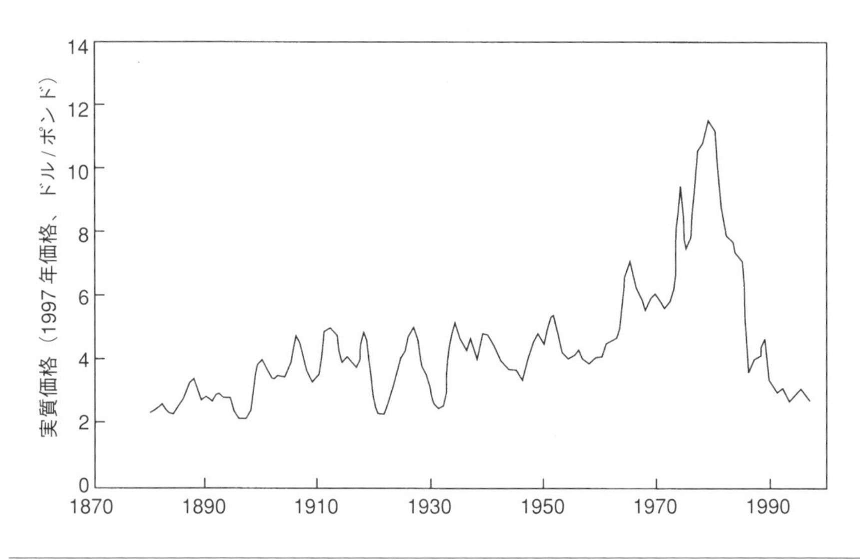

錫 — ニューヨークにおけるストレイト価格、1880 ～ 1997 年

出典：

1880 ～ 1997 年までのデータ、年刊 *Metal Statistics* (New York: American Metal Market)より

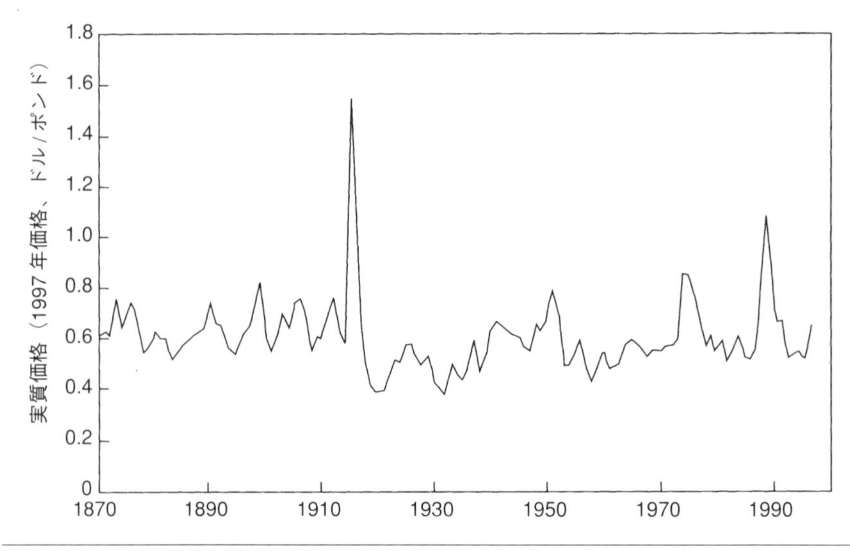

亜鉛 — アメリカで出荷されたプライムウエスタン・スラブ、1870 ～ 1997 年

出典：

1870 ～ 1957 年までのデータ、N. Potter and F.T. Christy, Jr., *Trends in Natural Resource Commodities: Statistics of Prices, Output, Consumption, Foreign Trade, and Employment in the United States, 1870-1957* (Baltimore, MD: Johns Hopkins University Press for Resources for the Future, 1962)

1958 ～ 1973 年までのデータ、R.S. Manthey, *Natural Resource Commodities — A Century of Statistics: Prices, Output, Consumption, Foreign Trade, and Employment in the United States, 1870-1973* (Baltimore, MD: Johns Hopkins University Press for Resources for the Future, 1978)

1974 ～ 1990 年までのデータ、年刊 *Metal Statistics* (New York: American Metal Market)

1991 年までのデータは London Metals Exchange の平均相場に基づく

1992 ～ 1997 年までのデータ、年刊 *Metal Statistics* (New York: American Metal Market)に掲載されたアメリカ生産者スポット亜鉛およびプライムウエスタン・スラブ亜鉛より

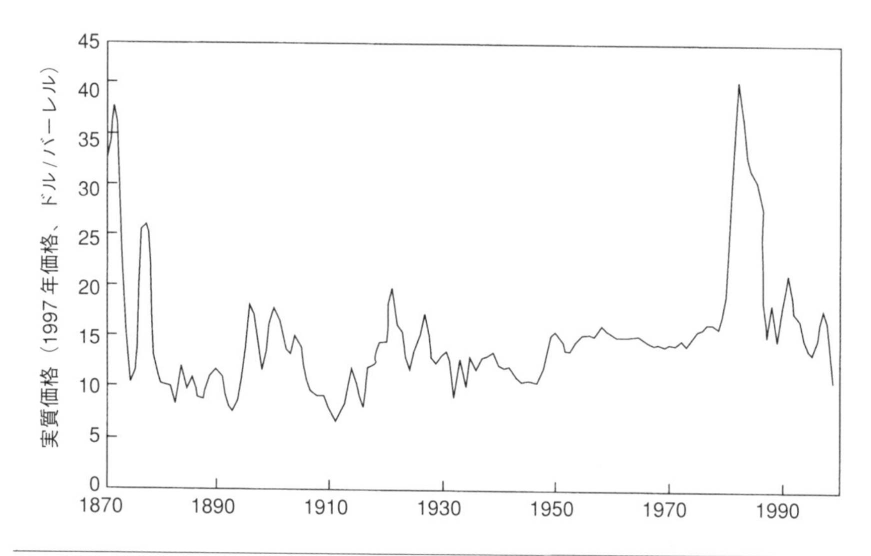

石油 — アメリカ平均価格、1870 ～ 1997 年

出典：

1870 ～ 1957 年までのデータ、N. Potter and F.T. Christy, Jr., *Trends in Natural Resource Commodities: Statistics of Prices, Output, Consumption, Foreign Trade, and Employment in the United States, 1870-1957* (Baltimore, MD: Johns Hopkins University Press for Resources for the Future, 1962)

1958 ～ 1973 年までのデータ、R.S. Manthey, *Natural Resource Commodities — A Century of Statistics: Prices, Output, Consumption, Foreign Trade, and Employment in the United States, 1870-1973* (Baltimore, MD: Johns Hopkins University Press for Resources for the Future, 1978)

1974 ～ 1997 年までのデータ、年二回出版物 *Basic Petroleum Data Book* (Washington, DC: American Petroleum Institute)

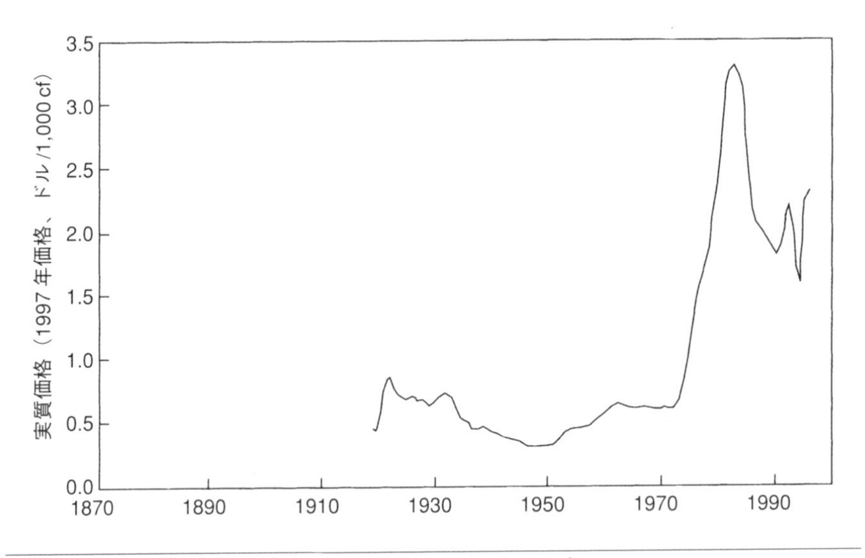

天然ガス — 生産井におけるアメリカ平均価格、1919～1997年

出典：

1919～1957年までのデータ、N. Potter and F.T. Christy, Jr., *Trends in Natural Resource Commodities: Statistics of Prices, Output, Consumption, Foreign Trade, and Employment in the United States, 1870-1957* (Baltimore, MD: Johns Hopkins University Press for Resources for the Future, 1962)

1958～1973年までのデータ、R.S. Manthey, *Natural Resource Commodities — A Century of Statistics: Prices, Output, Consumption, Foreign Trade, and Employment in the United States, 1870-1973* (Baltimore, MD: Johns Hopkins University Press for Resources for the Future, 1978)

1974～1997年までのデータ、*Historical Natural Gas Annual* (Washington, DC: American Petroleum Institute)

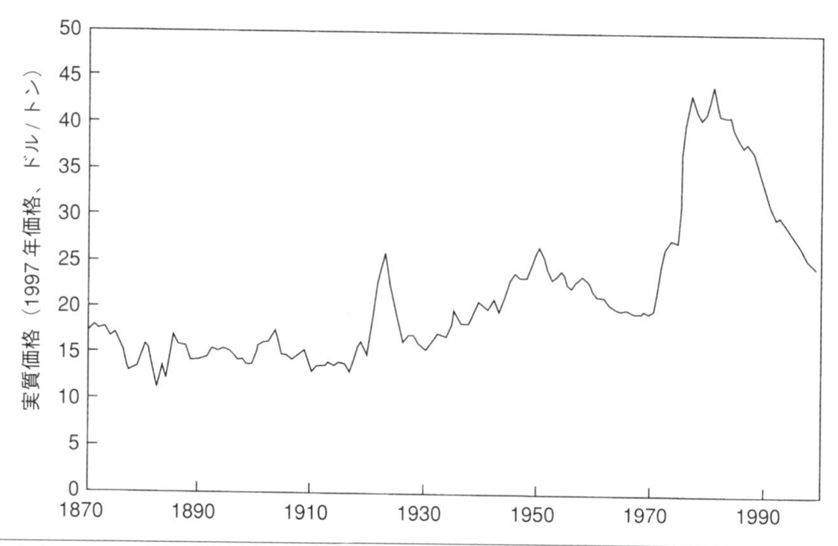

歴青炭 ― 鉱山におけるアメリカ平均価格、1870 ～ 1997 年

出典：

1870 ～ 1957 年までのデータ、N. Potter and F.T. Christy, Jr., *Trends in Natural Resource Commodities: Statistics of Prices, Output, Consumption, Foreign Trade, and Employment in the United States, 1870-1957* (Baltimore, MD: Johns Hopkins University Press for Resources for the Future, 1962)

1958 ～ 1973 年までのデータ、R.S. Manthey, *Natural Resource Commodities ― A Century of Statistics: Prices, Output, Consumption, Foreign Trade, and Employment in the United States, 1870-1973* (Baltimore, MD: Johns Hopkins University Press for Resources for the Future, 1978)

1974 ～ 1997 年までのデータ、Energy Information Administration, *Annual Energy Review* (Washington, DC: U.S. Government Printing Office)

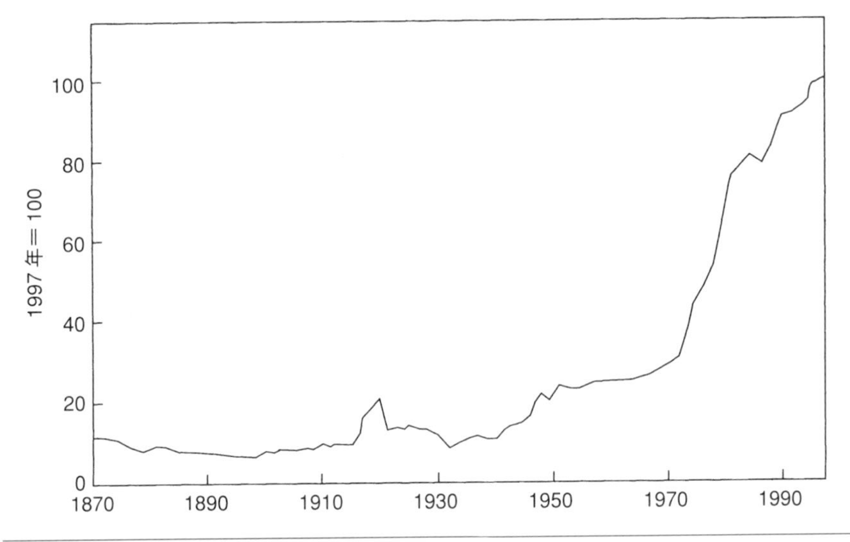

すべての鉱産物 — 生産者物価指数、1870 ～ 1997 年

出典：
1870 ～ 1957 年までのデータ、N. Potter and F.T. Christy, Jr., *Trends in Natural Resource Commodities: Statistics of Prices, Output, Consumption, Foreign Trade, and Employment in the United States, 1870-1957* (Baltimore, MD: Johns Hopkins University Press for Resources for the Future, 1962)
1958 ～ 1973 年までのデータ、R.S. Manthey, *Natural Resource Commodities — A Century of Statistics: Prices, Output, Consumption, Foreign Trade, and Employment in the United States, 1870-1973* (Baltimore, MD: Johns Hopkins University Press for Resources for the Future, 1978)
1974 ～ 1997 年までのデータ、U.S. Bureau of the Census の年刊 *Statistical Abstracts of the United States* (Washington, DC: U.S. Government Printing Office)

用 語 集

一次生産（primary production）：地下の鉱床から産出される鉱産物。第3章とBox 3-1.を参照。

インフレーション調整、デフレーション（inflation adjustment, deflation）：特定の財やサービスの価格トレンドから、すべての産品における平均価格のトレンド（インフレーション）を除去すること。このために生産者物価指数（PPI）、国内総生産（GDP）、消費者物価指数（CPI）のようなデフレータが用いられる。

外部性（externalities）：外部費用、外部便益、もしくはその両方。第6章を参照。

外部費用（external costs）：生産者と消費者によって支払われない、すなわち第三者によって負担される、財の生産、利用、その他の行動に関連する費用。例としては、鉱山操業による河川の汚染で、その費用は鉱山の下流の河川を利用する人たちによって負担される。第6章を参照。

外部便益（external benefits）：財の生産、利用、その他の行動に関連して、その生産者と消費者が得られない便益。例としては、他の鉱山会社にも有用な情報をもたらすような鉱山現場復旧における、鉱山会社による研究開発活動があげられるだろうか。第6章を参照。

攪乱項（disturbance term）：推定式が予想する値が、従属変数の実測値と乖離を生じる要素となる、除外された変数、測定誤差などの要因の影響を考慮するために、計量経済学モデルの方程式に含まれる変数。第4章を参照。

確率的トレンド（stochastic trend）：短期のショックによってデータ系列が攪乱されたとき、同じ長期トレンドに回帰しない時系列データ。第4章を参照。

仮想評価（contingent valuation）：環境やその他の非市場財を価値付けするために、このような財を保全するためにいくら支払う意志があるかを質問する手法。第6章を参照。

環境会計（グリーン・アカウンティング）（green accounting）：環境やその他の自然資源の利用可能性と使用を考慮した国民所得と国民生産の勘定。第7章を参照。

機会費用（opportunity cost）：ある財を得るために犠牲にしなくてはならない価値。たとえば、よりきれいな環境の機会費用は、鉱産物価格よりいくぶん高いかもしれない。第1章を参照。

機会費用パラダイム（opportunity-cost paradigm）：社会が、さらなる鉱産物を得るために他の財とサービス（機会費用）を犠牲にしなければならないことに基づいた資源枯渇に対する考え方。たとえば石油の実質価格が低下しているとき、社会が追加的な1バレル得るために諦めなければならない財とサービスは、時間の経過とともに少なくなる。このことは、機会費用パラダイムによれば、石油がより利用可能になっている、もしくは稀少でなくなっていることを意味する。第5章と第7章を参照。

稀少性（scarcity）：利用可能性の不足もしくは欠乏。たとえば産品の実質価格の上昇は、稀少性の増加の指標になる。第1章を参照。

稀少性レント（scarcity rent）：「ユーザーコスト（user costs）」を参照。

供給曲線（supply curve）：労働費用のような供給に関するすべての決定要素が特定の水準で固定されていると仮定し、産品の生産者が1年もしくは一定の期間内に、価格の変化によってどれほどの量を供給するかを示す曲線。第5章を参照。

（供給）不足（shortage）：一般的な市場価格における供給可能量に対する需要の過剰、もしくは需要と供給がバランスをとることから市場価格の上昇によって、これまでの消費者の多くがその産品を買う経済的余裕がなくなってしまうこと。拡大する供給不足は、稀少性が増し、利用可能性が減少することを意味する。第1章を参照。

金属と金属合金（metals and metal alloys）：おもに材料として用いられる鉱産物の一部。銅、鉛、亜鉛、鉄、アルミニウムのような金属は元素である。その大部分は常温で固体であり、不透明で、電気と熱の良導体である。合金は、二つ以上の金属もしくは金属と炭素のような特定の非金属との化合物である。たとえば、青銅は銅と錫の合金である。同様に鋼は鉄、炭素、そしておそらく他の金属との合金である。第1章とBox 1-1.を参照。

経済レント（economic rent）：「レント（rent）」を参照。

計量経済学モデル（econometric model）：未知のパラメータをさまざまな統計的手法によって推定する、経済理論に基づいて導出される1本または複数の方程式からなる。第4章を参照。

限界費用（marginal cost）：財をさらに（追加的に）1単位生産するための費用。

限界便益（marginal benefit）：財をさらに（追加的に）1単位生産することから得られる便益。

現金費用（cash costs）：鉱業では、現金費用は生産費用から資本費用（具体的には、減価償却、割賦償還、対外負債の利子）を差し引いた費用である。現金費用は、経済学者が変動費と呼ぶものに近く、産出によって増減する費用である（たとえば、労働とエネルギーの費用）。

現在価値（present value）：将来に受け取られる収益もしくは支払われる費用の現時点での価値。貨幣の時間的価値は正であり、貨幣は投資して利子を得ることができるので、今日の1ドルは1年後のドルよりも価値がある。現在価値の手法は、貨幣の時間的価値によって将来に受け取ったり支払われたりする資金を調整するので、そのため今日におけるこれらの責務の価値を示す。第2章とBox 2-1.を参照。

公共財（public goods）：国防のように、供給されるならば、すべての人が消費できる財。第6章を参照。

鉱産物（mineral commodities）：鉱物資源もしくはスクラップのリサイクルから生産された最終製品（燃料、金属、非金属）。第1章とBox 1-1.を参照。

鉱物資源（mineral resources）：金属、燃料、その他の鉱産物が生産される地下の鉱床。第1章を参照。

枯渇（depletion）：やがて社会に、より低品質の鉱床を開発することを余儀なくさせる高品質で低費用の鉱物鉱床の利用。

固定ストックパラダイム（fixed stock paradigm）：どのような鉱産物の供給も、固定もしくは所与の量（固定ストック）であると仮定する資源枯渇に対する考え方。枯渇は、年々継続するフロー変数である需要が利用可能なストックを消費することによって起こる。第5章および第7章を参照。

再生資源（renewable resources）：比較的短い期間（数年から数十年）で補充され得る、材木や魚のような資源。第1章と第7章を参照。

資源枯渇（mineral depletion）：「枯渇（depletion）」を参照。

資源量（resources）：(1) 定められた条件のもとで既知または発見が期待され、かつ (2) 定められた条件のもとで現在採掘するのに経済的もしくは経済的となることが期待される、鉱床に含まれるすべての鉱産物。第3章と図3-1.を参照。

資源量ベース（resource base）：地殻に含まれるすべての鉱産物。鉱産物の資源量ベースは、資源量と埋蔵量を含む。第3章と図3-1.を参照。

システムダイナミクス（system dynamics）：世界経済のような複雑なシステムが、時間の経過とともにどのように変化するかを研究し理解するための手法。システムの構造内のフィードバックループが、システム全体の動きを支配する。

実質費用と実質価格（real costs and prices）：インフレーションを調整された、米ドルもしくはその他通貨で表される費用と価格。第3章とBox 3-4.を参照。

私的費用（private costs）：「内部費用（internal costs）」を参照。

社会的費用（social cost）：産品を生産し利用することで社会が負う総費用。内部費用または私的費用（生産者と消費者が負担する）と外部費用（第三者が負担する）が含まれる。

社会福祉（social welfare）：「福祉（welfare）」を参照。

手工業的採掘（artisanal mining）：単純で機械化されていない設備を用いた非常に小規模な採掘。多くの場合、非合法で、そして非効率、危険、ひどい汚染を起こす傾向がある。第6章とBox 6-3.を参照。

持続可能性（sustainability）：「持続可能な発展（sustainable development）」を参照。

持続可能な発展、持続可能な開発（sustainable development）：現在の生活水準に相当する水準を将来の世代が享受することを妨げない行動。第7章を参照。

需要曲線（demand curve）：代替品の価格などのような需要についてのすべての決定要素が、ある特定の水準で固定されていると仮定して、産品の利用者が価格の変動によってどれほどの量を需要するかを示す曲線。

使用強度（IU）（intensity of use）：通常、トン、バーレル、その他の物理単位で測られる鉱産物の消費量を、実質ドルで測られる国内総生産もしくはその他の所得基準で割った値。第5章を参照。

小規模採掘（small-scale mining）：手工業的採掘に加えて、わずかな機械化操業を行う、やや規模の大きい採掘。第6章とBox 6-3. を参照。

存在価値（existence value）：「未利用価値（nonuse value）」を参照。

短期（short run）：長期より短い期間。

長期（long run, long term）：伝統的には、経済学上の長期は数年以上であるとされ、それは新しい生産能力の建設あるいは必要とされない生産能力の除去に十分な期間とされている。本書では、長期を時折この意味で使うが、多くの場合、50年以上の期間のことを指す。

直接規制（command-and-control regulations）：環境を改善することやその他の目的にとって、企業がどのような操業をするべきかを規定するために設計された政府の要求事項。第6章を参照。

定常トレンド（stationary trend）：短期のショックによってデータ系列が撹乱されたとき、同じ長期トレンドに回帰する時系列データ。第4章を参照。

内部費用（internal costs）：生産者と最終的には消費者が支払う、財の生産と利用に関する費用。外部費用とは対照的に、私的費用とも呼ばれる内部費用は第三者の負担とならない。第6章を参照。

二次生産（secondary production）：スクラップのリサイクルによる鉱産物で、おもに金属の生産。第3章とBox 3-1. を参照。

燃料（fuels）：有用なエネルギーを発生する能力によって価値を認められる、石油、天然ガス、石炭、ウランのような鉱産物。第1章とBox 1-1. を参照。

パラメータ（parameter）：計量経済学モデルにおける方程式の未知定数であり、さまざまな統計的手法によって推定できる。第4章を参照。

非金属（nonmetals）：燃料、金属、金属合金でない鉱産物。これには石灰石、砂と砂利、リン灰石、硫黄を含まれ、おもに建設、産業利用、肥料生産で使われる。第1章とBox 1-1. を参照。

ピグー税（Pigovian tax）：追加もしくは限界単位の汚染が環境に及ぼす被害と等しくなるように設定した、汚染1単位あたりに課される税金額。これはすなわち、企業とその他の汚染者に対して汚染の総社会的費用を支払うことを強いる。イギリスの経済学者 Arthur Pigou の名前から命名された。

非再生資源（nonrenewable resources）：油田や銅鉱床のような資源のことで、生成に何百万年も必要とするため、人類に関連のある時間尺度では補充できない。第1章と第7章を参照。

福祉、厚生（welfare）：1人あたりの実質所得もしくはその他の指標（たとえば、乳児死亡率、教育水準、所得分配、寿命）によって表される社会の状態や福利。

平均費用（average cost）：財の総生産費用を生産された単位数で割ったもの。

ホテリングレント（Hotelling rent）：「ユーザーコスト（user costs）」を参照。

埋蔵量（reserves）：現在の条件（価格、技術）において、採掘するために既知で経済的な鉱床に含まれるすべての鉱産物。第3章と図3-1. を参照。

マッケルビー・ボックス（McKelvey box）：地質学者 Vincent McKelvey が提案した二次元の図で、経済的および地質的な条件に基づいて資源量と埋蔵量を区別する。第3章を参照。

未利用価値（nonuse value）：たとえ直接的には利用しなくとも（たとえば、原生林を見に行かない）、特定の資源（たとえば、手つかずの自然）から個人が得る価値。未利用価値を示す他の用語には、存在価値、受動的利用価値、保全価値、遺産価値、責務価値、内在的価値などがある。第6章を参照。

名目費用と名目価格（nominal costs and prices）：インフレーション調整されていない費用と価格（米ドルもしくはその他通貨で表示）。第3章と Box 3-4. を参照。

ユーザーコスト、使用費用（user costs）：今日、鉱産物をさらに1単位生産することによって生じる、将来の利益損失の現在価値。現在の生産増加が将来の採掘にとってより少ないあるいはより低い品質の鉱物鉱床を地中に残すので、将来利益の低下が生ずる。ユーザーコストはホテリングレントや稀少性レントとも呼ばれる。第2章、第3章、Box 3-5. を参照。

リカードレント（Ricardian rent）：市場に土地もしくは鉱物鉱床を売り出すように所有者にインセンティブを与えるために、土地もしくは鉱床の所有者に対する必要な額を超える支払い。リカードレントは、現在の需要を満たすために必要とされる最も質の低い土地や鉱床よりも、他の多くの土地や鉱床が高品質（すなわち費用が小さい）であるために生じる。第2章、第3章、Box 3-5. を参照。

利用可能性（availability）：ある産品を追加的に1単位得るために諦めなくてはならない代表的な財とサービスの組合せに置き換えたときの犠牲。その財とサービスの組合せ全体が増加しているとき、産品はより利用可能でなくなっているか、もしくはより稀少になっていることになる。ある産品が他よりもより多くの財とサービスの組合せを必要とするとき、それは利用可能性が低くなった、もしくはより稀少になったことを意味する。第1章を参照。

累積供給（cumulative supply）：価格を除き、技術やその他すべての供給の決定要素が、ある特定の水準で固定されていると仮定して、銅や石油のような鉱産物の生産者が、全期間にわたりさまざまな価格でどれほどの量を供給するかを示す曲線である。これは非再生資源のみに適用でき、伝統的な供給曲線とは異なる。後者の伝統的な供給曲線は、ある財の生産者が1年もしくは何らかの期間内にさまざまな価格でどれほどの量を供給するかを示している。

レント（rent）：生産要素（労働、土地、鉱物資源）の所有者が、市場に生産要素を売り出すのに必要な価格を超えた、所有者への支払い。すでに市場に提供されている生産要素では、レントはその要素を市場で確保するために必要な価格を超える支払いである。第2章、第3章、Box 3-5.を参照。「リカードレント（Ricardian rent）」も参照せよ。

索　引

ア　行

カ　行

サ　行

タ　行

ナ　行

ハ　行

マ　行

著者について

John E. Tilton は、Colorado School of Mines（コロラド鉱山大学）経済経営学部資源経済学の William J. Coulter Professor であり、Resources for the Future の大学フェローである。過去 30 年の教育および研究の対象は、採掘と金属産業に関連した経済学と政策問題である。最近の研究は、環境と採掘、材料代替、金属需要の長期トレンド、金属のリサイクル、採掘の生産性向上の原因、そして金属貿易における比較優位の変化である。

1977 年に Tilton 教授は、スイスの United Nations Conference on Trade and Development（国連貿易開発会議）の鉱物金属部門の経済情勢役員を務めた。1982 年から 1984 年まで、オーストラリアの International Institute for Applied Systems Analysis（国際応用システム分析研究所）で鉱物の貿易と市場に関する研究プログラムを指揮した。最近は、Resources for the Future の客員フェロー、パリの Ecole Nationale Superieure des Mines（国立鉱山学校）のフルブライト上席スカラー、そしてサンチャゴの Pontificia Universidad Catolica de Chile（チリカトリカ大学）の Centro de Mineria（鉱物センター）の客員スカラーである。National Research Council（アメリカ学術研究会議）のさまざまな理事会や委員会の委員を務め、最近では Panel on Integrated Environmental and Economic Accounting（総合的な環境および経済会計に関するパネル）と The Committee to Study Technologies for the Mining Industries（鉱業技術研究委員会）に参加した。

資源経済分野における貢献が認められ、Society for Mining, Metallurgy, and Exploration（アメリカ鉱山冶金探査学会）の Mineral Economics Award（資源経済学賞）、Mineral Economics and Management Society（鉱物経済経営学学会）から Distinguished Service Award（功労賞）、オーストラリアの Curtin University（カーティン大学）からは N.M. Rothschild Visiting Professorship、そしてスウェーデンの Lulea University of Technology（ルーレオ工科大学）からは名誉博士号を授けられている。

〈訳者略歴〉
西山　孝（にしやま　たかし）
京都大学名誉教授，東京大学生産技術研究所顧問研究員
サステイナブル材料国際研究センター
1965年，京都大学大学院工学研究科修士課程修了
京都大学工学博士
専攻：資源地質学，資源経済学専攻
主著：「資源経済学のすすめ」（中公新書），「地球エネルギー論」（オーム社）ほか

安達　毅（あだち　つよし）
東京大学生産技術研究所助教授
1994年，京都大学大学院工学系研究科修士課程修了
東京大学大学院工学系研究科助手を経て，2006年3月より現職
東京大学博士（工学）
専攻：資源経済学，地球システム工学

前田正史（まえだ　まさふみ）
東京大学生産技術研究所長
1981年，東京大学大学院工学系研究科博士課程修了（工学博士）
東京大学生産技術研究所講師，助教授を経て1996年から教授
2004年から東京大学生産技術研究所副所長（～2005.3.31），
サステイナブル材料国際研究センター長．2005年より現職．
専攻：循環材料学，材料熱力学，素材プロセス工学，環境科学
主著："Advanced Physical Chemistry for Process Metallurgy", Academic Press (1997). "Vapor Pressure Measurement of Zn-Fe Intermetallic Compounds", Metallurgical and Materials Transaction B, 35(3), 487-492(2004). ほか

持続可能な時代を求めて―資源枯渇の脅威を考える―

平成 18 年 3 月 5 日　第1版第1刷発行

著　者　John E. Tilton
訳　者　西山　孝
　　　　安達　毅
　　　　前田正史
発行者　佐藤政次
発行所　株式会社 オーム社
郵便番号　101-8460
東京都千代田区神田錦町 3-1
電話　03(3233)0641(代表)
URL　http://www.ohmsha.co.jp/

印刷　エヌ・ピー・エス　製本　三水舎
ISBN4-274-20208-9　Printed in Japan